中华人民共和国国家标准

架空索道工程技术规范

GBJ 127-89

主编单位: 中国有色金属工业总公司
批准部门: 中华人民共和国建设部
实施日期: 1990 年 1 月 1 日

中国建筑工业出版社

1989 北京

中华人民共和国国家标准
架空索道工程技术规范
GBJ 127—89

*

中国建筑工业出版社出版、发行 (北京西郊百万庄)

新 华 书 店 经 销

北京市兴顺印刷厂印刷

*

开本：850 × 1168 毫米　1/32　印张：$3\frac{1}{2}$　字数：92 千字

1989 年 9 月第一版　　2004 年 6 月第三次印刷

印数：3,451 — 4,450 册　　定价：16.00 元

统一书号：15112 · 6023

本社网址：http：//www. china-abp. com. cn

网上书店：http：//www. china-building. com. cn

关于发布国家标准《架空索道工程技术规范》的通知

(89) 建标第 133 号

国务院各有关部门，各省、自治区、直辖市建委（建设厅），计委（计经委），各计划单列市建委：

根据国家计委计综〔1986〕250 号文的要求，由中国有色金属工业总公司会同有关部门共同制订的《架空索道工程技术规范》，已经有关部门会审，现批准《架空索道工程技术规范》编号（GBJ127-89）为国家标准，自 1990 年 1 月 1 日起施行。

本规范由中国有色金属工业总公司负责管理，由昆明有色冶金设计研究院负责解释，由中国建筑工业出版社负责出版发行。

中华人民共和国建设部

1989 年 3 月 25 日

编 制 说 明

　　本规范是根据国家计委计综〔1986〕250 号文的要求，由我公司昆明有色冶金设计研究院主编，并会同北京有色冶金设计研究总院、南昌有色冶金设计研究院、冶金工业部鞍山黑色冶金矿山设计研究院、机械电子部、四川矿山机器厂等单位共同编制而成。

　　在编制过程中，遵照国家基本建设的有关方针政策，编制组进行了广泛的调查和必要的测试论证，总结了我国近四十年来索道工程设计、施工和运行方面的实践经验，吸取了这些方面的科研成果，借鉴了国际索道运输协会等规范的有关规定，并征求了全国有关单位的意见，经过反复修改，最后经有关部门审查定稿。

　　本规范共分八章。其主要内容有：总则、索道设计基本规定、双线循环式货运索道工程设计、单线循环式货运索道工程设计、双线往复式客运索道工程设计、单线循环式客运索道工程设计、索道工程施工、索道工程验收。

　　在实施本规范的过程中，请各单位注意积累资料，总结经验，并将需要修改和补充的意见及时函告我公司昆明有色冶金设计研究院，以供修订时参考。

中国有色金属工业总公司。

1988 年 11 月 8 日

目　录

主 要 符 号

A——索道小时运输能力（t／h）、面积（m²）；

D——驱动轮或托索轮的直径（mm）；

d——牵引索或承载牵引索的直径（mm）；

d_c——承载索的直径（mm）；

F——钢丝绳的金属断面积（mm²）；

f_x——考察点的总挠度（m）；

H_{max}——传动区段的最大高差（m）；

h——高差（m）；

J——惯性力（N）；

L——平距、距离、长度（m）；

L_{max}——拉紧区段或传动区段的最大平距（m）；

l——跨距、距离、长度（m）；

l'——斜距（m）；

P——力（N）；比压（MPa）；

〔P〕——允许比压（MPa）、允许径向载荷（N）；

Q——重车的重力（N）；

Q_z——重车侧集中载荷（N）；

q_o——牵引索每米重力（N／m）；

q_c——承载索每米重力（N／m）；

q——线路均布载荷（N／m）；

R——曲率半径（m）、轮压（N）；

T_o——钢丝绳的初拉力（N）；

T_{max}——钢丝绳的最大拉力（N）；

T_{min}——钢丝绳的最小拉力（N）；

v——索道运行速度（m／s）；

W——重锤的重力（N）；

α——弦倾角、包角（°）;

β——空索倾角（°）

ε——折角（°）、（%）;

θ——重索倾角（°）;

λ——车距（m）;

μ——摩擦系数、粘着系数;

σ_B——钢丝绳的公称抗拉强度（MPa）;

τ——载荷分配系数、发车间隔时间（s）;

φ——折角（°）、（%）。

第一章 总 则

第 1.0.1 条 为了使架空索道工程设计、施工及验收在技术上有所遵循，确保工程质量和安全运行，发挥索道运输在国民经济中的作用，特制定本规范。

第 1.0.2 条 本规范适用于单、双线循环式货运索道和单线循环式、双线往复式客运索道的新建、扩建或改建工程。

在特定条件下使用的单、双线往复式货运索道和非营业性小型客运索道，可参照本规范有关条款执行。

第 1.0.3 条 客、货运索道运输方案的选择，应根据运输距离、运输能力、建设条件等进行综合技术经济比较，确定其合理性。

第 1.0.4 条 索道设计和设备选型，应符合下列原则：

一、技术先进、经济合理、安全可靠。

二、用于生产和安全的抱索器、客车制动器等关键新设备，未经试验或模拟试验，严禁用于工程中。

三、客、货运索道设备出厂时，应进行严格检验，并应具有合格证书。

不符合设计要求的设备，严禁使用。

第 1.0.5 条 建在风景旅游区的客运索道，应以保护风景、方便旅游为原则。其线路和站址选择，应与风景区总体或区域规划相结合。

站房建筑形式，应与风景区建筑物风格相协调。

第 1.0.6 条 各种货运索道，应采用客运索道中行之有效的新技术、新工艺、新设备和新材料，不断提高生产率、作业率、运行速度和安全可靠性，充分发挥货运索道的运输功能。

第 1.0.7 条 索道工程应经竣工验收合格后，才能正式投入运营或运行。

第 1.0.8 条　索道工程设计、施工及验收，除应符合本规范的规定外，尚应符合国家现行的有关标准、规范的要求。

第二章 索道设计基本规定

第一节 一般规定

第 2.1.1 条 索道的运输能力，应按每小时单方向运输量计算。

第 2.1.2 条 索道的最大运输能力，应符合下列规定：

一、双线循环式货运索道为 700t／h；

二、单线循环式货运索道为 300t／h；

三、双线往复式客运索道为 1600P／h；

四、单线循环式客运索道为 3200P／h；

第 2.1.3 条 索道的最高运行速度，应符合下列规定：

一、单、双线循环式货运索道为 4m／s；

二、双线往复式客运索道，当有乘务员时，在跨距内为 10m／s，过支架时为 7.5m／s；当无乘务员时，在跨距内为 6m／s，过支架时为 4m／s；

三、采用活动式抱索器的单线循环式吊舱或吊椅索道为 4.5m／s；

四、采用固定式抱索器的单线循环式吊椅或吊篮索道为 1.5m／s。但滑雪场专用索道 2.5m／s。

五、单线循环式拖牵索道为 4.5m／s。

第 2.1.4 条 索道的工作制度，应符合下列要求：

一、货运索道的工作制度，宜与衔接企业的工作制度一致。年工作日应按各行业的规定采用，但非连续工作制索道不得小于 290 天；连续工作制索道不得大于 330 天。

每日工作小时数和运输不均衡系数，一班作业应采用 7.5h 和 1.1；两班作业应采用 14h 和 1.15；三班作业应采用 19.5h 和 1.2。

二、客运索道的年工作日、每日工作小时数和运输不均衡系数，应按当地气候条件、客流变化情况和索道本身特点确定。

第 2.1.5 条 索距的选择，应符合下列要求：

一、双线循环式货运索道的索距，当货车容积为 0.5～1.0m³ 时应为 3m；当货车容积为 1.25～1.6m³ 时应为 3.5m；当货车容积 2.0～2.5m³ 时应为 4m。

二、单线循环式货运索道的索距，当货车容积为 0.2～0.25m³ 时应为 2.5m，当货车容积为 0.32～0.8m³ 时应为 3m，当货车容积为 1.0～1.25m³ 时应为 3.5m。

当驱动轮直径大于 3.5m 时，索距应等于驱动轮直径。

三、当验算货运索道的索距时，应选择最大跨距中点处。在 200Pa 工作风压作用下，重车侧承载索及货车应向外侧偏斜，空车侧承载索及货车亦应向同一方向偏斜，此时空车不得接触重车侧任何部位。

四、双线往复式客运索道的索距，在客车交会的跨距内，应按两侧客车均向内侧摆动 20%计算。客车间的净空尺寸，当跨距小于 300m 时不得小于 1m；当跨距大于 300m 时，跨距每增加 100m，索距再增大 0.2m。

在客车不交会的跨距内，应按一侧客车向内侧摆动 20%计算。该侧客车与另侧承载索水平投影的净空尺寸，当跨距小于 300m 时不得小于 2m；当跨距大于 300m 时，跨距每增大 100m，索距再增大 0.2m。

五、单线循环式客运索道的索距，应按某一重车侧的承载牵引索保持垂直，但另一重车侧的承载牵引索按等速运行时最大挠度的 5%向内侧偏斜，两侧的客车均应向内侧摆动 20%计算。客车间的净空尺寸，不得小于 1m。

第 2.1.6 条 索距的变化或索道方向的改变，应符合下列要求：

一、双线索道承载索在每个支架上的水平偏角，不得大于 0.5%。

当承载索的水平力小于最小压力的 10%和牵引索在托索轮

4

上稳定靠贴时，水平偏角可为 0.9%。

二、单线索道承载牵引索在每个支架上的水平偏角，当承载牵引索的水平力小于空索靠贴的 10%、托索轮按合力线方向倾斜设计和承载牵引索在托索轮上稳定靠贴或设有安全导向装置时，不得大于 0.9%。

三、索道方向改变超过上述范围时，应设转角站。

第二节　风雪荷载

第 2.2.1 条　计算风压应符合下列规定：

一、索道运行时为 200Pa。

二、索道停运时为 1200Pa。

最大风速大于 44m／s 的地区，应取当地最大风压值。

第 2.2.2 条　风力系数宜符合下列规定：

一、密封式钢丝绳为 1.2。

二、非密封式钢丝绳为 1.3。

三、货车为 1.4。

四、客车：

1. 运行小车和吊架为 1.6。

2. 矩形截面的车厢为 1.3。

3. 带圆角的矩形截面车厢，其风力系数宜按下式计算：

$$\omega = 1.3 - \frac{2r}{l} \tag{2.2.2}$$

式中　ω——风力系数；

　　　r——圆角半径（mm）；

　　　l——车厢长度（mm）。

五、托、压索轮组为 1.6。

六、桁架式支架为 1.2。

七、矩形封闭截面支架为 2.0。

第 2.2.3 条　当跨距大于 400m 时，钢丝绳承受风力的计算长度，应按下式计算：

$$l_j = 240 + 0.4i \qquad (2.2.3)$$

式中　l_j——钢丝绳承受风力的计算长度（m）；

　　　i——跨距斜长（m）。

第 2.2.4 条 雪荷载应符合现行的《建筑结构荷载规范》的规定。

第三节　线路选择

第 2.3.1 条 线路的选择，应符合下列要求：

一、一个传动区段的索道线路应为直线，不宜设置转角站。当受条件限制需设置转角站时，索道线路应经技术经济比较确定。

二、循环式索道的线路，应避开多次起伏的地形和比高很大的凸起地段以及难以跨越的凹陷地段。

往复式索道应力求通过凹陷地形。

单线循环式拖牵索道的线路，纵向坡度不得大于 50%，线路变坡处应平缓过渡且不应有反向坡度。并不得与冬季使用的公路或滑雪道交叉。

三、索道线路应避开滑坡、雪崩、沼泽、泥石流、卡斯特等不良工程地质区和采矿崩落影响区。当受条件限制不能避开时，站房和支架应采取可靠的工程措施。

四、索道线路不宜跨越工厂区和居民区，亦不宜多次跨越铁路、公路、航道和架空电力线路。当货运索道跨越上述设施时应设保护设施。当客运索道跨越国家铁路和高压架空电力线路时应设保护设施。

五、建在风景旅游区的客运索道，其线路选择应符合本规范第 1.0.5 条的规定。

六、建在机场或军事设施附近的索道，其线路选择应符合有关单位要求并采取相应措施。

七、在大风地区，宜减小索道线路与主导风向之间的夹角。

八、客运索道线路应便于营救。

第 2.3.2 条 站址的选择，应符合下列要求：

一、站房周围地形宜平坦。

二、站房应不占或少占农田。

三、站房应有良好的工程地质条件。

四、站房应设在供电、供水、交通、施工、维修方便处。

五、客运索道站房应设在人流集散方便处。

六、货运索道钢丝绳的进、出站角应符合下列要求:

1. 承载索的进、出站角,宜为 5~10%的仰角或 3~5%的俯角;

2. 承载牵引索的进站角,当采用四连杆式或鞍式抱索器时,宜为 10~16%的仰角;当采用弹簧式抱索器时,承载牵引索宜导平;

3. 承载牵引索的出站角,当采用四连杆式或鞍式抱索器时,宜为 8~12%的仰角;当采用弹簧式抱索器时,承载牵引索宜导平。

第四节 净空尺寸

第 2.4.1 条 索道跨越或穿越时的垂直净空尺寸,应符合表 2.4.1 的规定。

索道跨越或穿越时的垂直净空尺寸(m)　　　　表 2.4.1

跨越或穿越对象	跨越或穿越说明	净空尺寸
国家铁路	保护设施底部距轨面	应符合国家现行的有关标准、规范的要求
地方铁路	索道或保护设施底部距轨面	
公 路	索道或保护设施底部距轨面	
架空电力线路	索道穿越时电线距索道顶部	
	索道跨越时保护设施距电线	
航 道	索道或保护网底部距桅杆顶	2.0
建、构筑物	索道或保护设施底部距屋顶	2.0
禁伐林木	索道底部距林木最高点	2.0
非机耕地	索道底部距耕地面	3.0

跨越或穿越 对　象	跨越或穿越说明	净 空 尺 寸
滑 雪 道	索道底部距雪道面	3.5
机 耕 地	索道底部距耕地面	4.5
街道、广场	索道或保护设施底部距地面	5.0
人烟稀少区	索道底部距地面或雪面	3.0
无人通行区	索道底部距地面或雪面	2.0

注:①索道底部系指客、货车或空牵引索在跨间的最低静态位置再加上动态附加
　　值（承载索挠度的5%或承载牵引索挠度的10%或牵引索挠度的15%）
　　以最低位置为准;

　　②索道顶部系指线路上没有客车或货车，承载索或承载牵引索最大拉力增
　　大10%时在跨间的最高静态位置;

　　③索道跨越航道时的净空尺寸，应以五十年一遇的最高洪水位为准;

　　④对于单线循环式吊椅索道，无人通行区的净空尺寸可为1m。

第 2.4.2 条 客、货车与内、外障碍物之间的水平净空尺寸，应符合表 2.4.2 的规定。

客、货车与内、外障碍物之间的水平净空尺寸(m)　　表 2.4.2

障碍物名称	客、货车或钢丝绳摆动情况	净空尺寸
无导向装置的支架	货车内摆20%、客车内摆35%	0.2
有导向装置的支架	货车和有制动器的客车内摆14%、无制动 器客车内摆20%	0.5
与索道平行的交通运输道路	承载索或承载牵引索或牵引索最大静挠度 的20%向外摆动	1.5
与索道平行的架空电力线路	承载索或承载牵引索或牵引索最大静挠度 的20%向外摆动	不小于电杆 的高度
建筑物、岩石	双线索道客、货车外摆20%，再加上跨距 大于300m时的0.2%增加值	3.0
	承载牵引索最大静挠度的10%外摆加上固 定式抱索器客、货车外摆20%	1.5
	承载牵引索最大静挠度的10%外摆加上活 动式抱索器客、货车外摆35%	1.0

障碍物名称	客、货车或钢丝绳摆动情况	净空尺寸
林间通道	双线索道客、货车外摆 20%，再加上跨距大于 300m 时的 0.2%增加值	1.5
	承载牵引索最大静挠度的 10%外摆加上固定式抱索器客、货车外摆 20%	1.0
	承载牵引索最大静挠度的 10%外摆加上活动式抱索器客、货车外摆 35%	0.5

注:①客、货车通过有、无导向装置的支架时，在表中规定的向内摆动情况下，客、车底部或腰部与支架身部之间的净空尺寸不得小于表中的规定;

②跨距大于300m时的0.2%增加值，系指当跨距大于300m时，跨距每增大100m，客、货车纵向中心线向外侧移动0.2m。

第五节 支 架

第 2.5.1 条 支架的设计，应符合下列要求:

一、支架应采用钢结构。货运索道站口支架的高度小于15m的线路支架，可采用带钢横担的钢筋混凝土结构。

二、在气温-20℃及以下地区工作的支架，其主要承载构件应采用镇静钢。

三、支架采用开口型材时，其壁厚不得小于 5mm;采用闭口型材时，其壁厚不得小于 2.5mm，且内壁应有防锈层。

四、向内和纵向摆动 20%的货车或向内和纵向摆动 35%的客车，应能平稳进入支架导向装置的导向段。

支架导向装置的工作段，应使货车和有制动器客车的向内摆动不大于 14%;无制动器客车的向内摆动不大于 20%。

双线往复式客运索道的支架导向装置，应为对称于支架纵向中心线的封闭曲线环。

五、无导向装置的支架，应使向内和纵向摆动 20%的货车或向内和纵向摆动 35%的客车顺利通过。

六、支架顶部应设有效工作高度不小于 2m 的起重架。

七、支架头部应设带护栏的操作台。当承载索或承载牵引索在支架上的倾角较大时，操作台应设计成与倾角一致的台阶形。

八、支架上应设工作梯。当支架高度大于 10m 时，工作梯应设护圈。当支架高度大于 20m 时，工作梯应每隔 10~15m 分段转接，转接处应设带护栏的平台。当支架高度大于 40m 时，宜在支架内部设置带护栏的楼梯。

第 2.5.2 条 支架的计算，应符合下列要求：

一、支架的主要荷载应为支架重力、线路设备重力、各种钢丝绳的垂直力和水平力以及密封式钢丝绳的摩擦力。

附加荷载应为风荷载和雪荷载。

特殊荷载应为客车制动力、货车卡车力和按有关规定确定的地震力。

二、进行荷载组合时，应分成索道运行时和索道停运时两种不同情况，并应按最不利的荷载组合计算支架。

三、支架的安全系数，索道运行时不得小于 3；索道停运时不得小于 2。

四、支架的主要承载构件，应进行疲劳校核。

五、在最不利的荷载组合下，支架横担的水平扭转角，双线循环式货运索道不得大于 1°；其他索道不大于 0.5°。

第 2.5.3 条 支架的基础，应符合下列要求：

一、一般应采用短柱式钢筋混凝土基础。如遇岩石类地基时，宜采用梁式或锚杆基础。

二、在最不利荷载组合下，基础防止滑移、倾复和扭转的安全系数，均不得小于 1.5。

三、基础位于边坡附近时，应校验地基的边坡稳定性。

四、在冰冻地区，基础底面应埋至冻土深度以下。

五、基础顶面露出设计地面的高度不得小于 300mm，但钢筋混凝土支架的基础顶面不受此限。

六、基础周围应有排水设施。

七、基础地脚螺栓应预埋。其预埋深度，短柱式钢筋混凝土基础应为螺栓直径的 35 倍；毛石混凝土基础螺栓至基础底面的距离，不得大于 100mm。

第六节 检 修 设 施

第 2.6.1 条 索道应设置下列检修设施：

一、小型机修间：

小型机修间应设在站房附近。其面积和装备水平，应按修理为主、备件外购的原则，根据企业的机修体制和协作条件确定。

二、牵引索或承载牵引索检修场地和换绳场地：

1. 检修场地应设在端站附近索道线路的一侧，长度不得小于 50m，宽度不得小于 3m，地面应适当处理；

2. 检修场地应兼作换绳场地。当有特殊要求时，可另设换绳场地；

3. 检修、换绳场地应设置电动慢速绞车、滑车、手扳或手拉葫芦、地锚、接绳和换绳等专用工具。

三、其他检修设施：

1. 站内应设置检修设备和钢丝绳用的起重设备、电动绞车、滑车和各种专用工具，并应设置检修钢丝绳用的吊环、地锚、预埋件、预留孔和绞车基础；

2. 应配备适当吨位的检修用汽车；

3. 在通行困难地段，宜结合山间小道或施工便道，修建宽度不小于 1m 的检修便道；

4. 货运索道宜配备小型发电电焊机组。

第三章　双线循环式货运索道工程设计

第一节　货　车

第 3.1.1 条　货车的选择，应符合下列要求：

一、一般情况下，应选用下部牵引式货车、当线路较短。地形凸起且不需要自动转角时，应选用水平牵引式货车；

二、一般情况下，应选用重力式抱索器。当承载能力大于 3.2t 和运行速度大于 3.6m／s 时，应选用弹簧式抱索器；

三、一般情况下，应选用翻卸式货车。当运输粘结性物料和货车容积大于 0.8m² 时，应选用底卸式货车；

四、在相同运输能力条件下，宜选用承载能力和容积均较大的货车；

五、翻卸式货车的有效容积利用系数，运输非粘结性物料时宜采用 1.0；运输粘结性物料时宜采用 0.8～0.9；

六、货箱上口宽度与运输物料最大块度之比，当采用旋转式装载机时不得小于 8；当采用重力式装载设备时不得小于 4；当采用强制式装载设备时不得小于 2.5。

第 3.1.2 条　货车的设计，应符合下列要求：

一、货车的承载能力，应为 1.0、2.0 和 3.2；

二、货车的容积，应为 0.5、0.63、0.8、1.0、1.25、1.6、2.0 和 2.5m³。

三、货车的运行速度，宜为 1.6、2.0、2.5、2.8、3.15、3.6 和 4.0m／s。

四、吊架的长度，应按货车在承载索倾角最大的支架上纵、横向摆动 20% 时，货车不得接触该支架任何部位的条件校验。

五、货箱应有可靠的锁闭装置；

六、车轮宜设铸型尼龙轮衬或其他软质耐磨轮衬。

第 3.1.3 条 设置自动转角或自动迂回站的索道，货车的最高运行速度应符合表 3.1.3 的规定。

货车自动转角或自动迂回时最高运行速度　　　表 3.1.3

水平滚轮组曲率半径(m)	–	40	50	60	70
迂回轮直径(m)	5	6	–	–	–
货车的最高运行速度(m／s)	1.6	2.0	2.5	2.8	3.15

第 3.1.4 条 货车的发车间隔时间，宜符合表 3.1.4 的规定。

货车的发车间隔时间　　　表 3.1.4

索道运输能力 (t／h)	100～150	151～300	301～500	501～700
发车间隔时间 (s)	30～40	18～30	14～18	12～14

第二节　承载索与有关设备

第 3.2.1 条 承载索的选择，应符合下列要求：

一、承载索应选用密封式钢丝绳，其公称抗拉强度不宜小于 1170MPa。

二、承载索拉紧端的初拉力，应按下式计算：

$$60 \leqslant T_0 / R \geqslant 0.045\sqrt{N} \qquad (3.2.1\text{-}1)$$

式中　T_0——承载索拉紧端的初拉力 (N)；

　　　N_0——每年通过承载索的车轮次数；

　　　R——每个车轮作用在承载索上的轮压 (N)。

三、每个车轮作用在承载索上的轮压，应按下列公式计算：

下部牵引式货车　　$R = \dfrac{Q + q_0\lambda + t\varphi}{i}$ 　　　(3.2.1-2)

水平牵引式货车　　$R = \dfrac{Q}{i}$ 　　　(3.2.1-3)

式中　Q——重车重力 (N)；

　　　q_0——牵引索每米重力 (N／m)；

λ——车距（m）；

$t\varphi$——牵引索作用在支架上的附加压力（N），侧型平坦时　$t\varphi = (0.2 \sim 0.25)Q$；　侧型复杂时　$t\varphi = (0.3 \sim 0.35)Q$；

i——每辆货车的车轮数。

四、按初拉力预选承载索时，钢丝绳实际破断拉力与初拉力之比，永久性索道应为 4~4.2；临时性索道应为 3.5~3.7。

第 3.2.2 条　承载索的计算，应符合下列要求：

一、承载索的抗拉安全系数，永久性索道应为 3.0~3.2，临时性索道应为 2.6~2.8。

二、承载索的最大与最小工作拉力，应按下列公式计算：

$$T_{max} = W \pm q_c h + K\Sigma\triangle T \tag{3.2.2-1}$$

$$T_{min} = W \pm q_c h + K\Sigma\triangle T \tag{3.2.2-2}$$

式中　T_{max}——承载索的最大工作拉力（N）；

T_{min}——承载索的最小工作拉力（N）；

W——承载索拉紧重锤的重力（N）；

q_c——承载索每米重力（N／m）；

h——承载索拉紧端与锚固端之间的高差（m）；

K——拉紧区段内承载索摩擦力的折减系数；

$\Sigma\triangle T$——拉紧区段内承载索按同向叠加计算的摩擦力总和（N）。

三、拉紧区段内承载索按同向叠加计算的摩擦力总和，应按下式计算：

$$\Sigma\triangle T = C_1 W + \mu\left[(q_c + q)L + 2W Sin\frac{\varphi}{2} + 2T_p Sin\frac{\varepsilon}{2} \right]$$

$$\tag{3.2.2-3}$$

式中　C_1——拉紧索导向轮的阻力系数，带滑动轴承的导向轮为 0.05~0.06；带滚动轴承的导向轮为 0.03~0.04；其中导向轮直径较大时取小值，反之取大值；

μ——承载索与鞍座之间的摩擦系数;

q——线路均布载荷 (N / m);

L——拉紧区段的平距 (m);

φ——承载索在拉紧站偏斜鞍座上的水平折角 (°)。

T_p——承载索在拉紧区段内的平均拉力 (N);

ε——锚固站站口第一跨弦线与拉紧站站内承载索中
心线之间的总折角 (°), 凸起侧型为正号
凹陷侧型为负号。

四、拉紧区段内承载索摩擦力的折减系数, 应符合表 3.2.2
—1 的规定。

拉紧区段内承载索摩擦力的折减系数　　表 3.2.2-1

侧 型 情 况 ＼ 计 算 情 况	计算锚固端拉力或刘分拉紧区段	计算任意支架上的 拉 力
凸起侧型	0.5	0.5~1.0
平坦或坡度均匀的倾斜侧型	0.6	0.6~1.0
凹陷侧型	0.7	0.7~1.0

五、承载索与鞍座之间的摩擦系数, 应符合表 3.2.2—2 的
规定。

承载索与鞍座之间的摩擦系数　　表 3.2.2-2

鞍 座 结 构 型 式	μ 值
无衬铸钢鞍座	0.15
尼龙衬或青铜衬鞍座	0.12

第 3.2.3 条　拉紧区段的划分, 应符合下列要求:

一、应采取提高运行速度、降低承载索与鞍座之间的摩擦系
数、减少拉紧系统和偏斜鞍座上的摩擦阻力、提高承载索公称抗
拉强度、加大拉紧重锤质量等措施, 延长拉紧区段的平距。

二、一个拉紧区段的最大平距, 应按下式计算:

$$L_{max} = \frac{w\left[0.25 - K\left(C_1 - 2\mu Sin\frac{\varphi}{2} \pm 2\mu Sin\frac{\varepsilon}{2}\right)\right]}{K\mu(q_c + q)}$$

(3.2.3)

式中　L_{max}————个拉紧区段的最大平距（m）；

　　　　ε————锚固站站口第一跨弦线与拉紧站站内承载索中心线之间的总折角（°），凸起侧型为正号，凹陷侧型为负号。

三、对于多拉紧区段索道，应进行多方案比较，合理划分各拉紧区段。

四、在每个拉紧区段内，承载索锚固端宜设在高端，承载索拉紧端宜设在低端。

五、当凸起地段支架群的摩擦力总和可以阻止承载索滑动时，宜采用两端拉紧方式。

第 3.2.4 条 承载索的拉紧与锚固，应符合下列要求：

一、在每个拉紧区段内，承载索应采用一端拉紧另一端锚固的方式，不宜采用两端锚固的方式：

二、承载索应采用重锤拉紧方式：

三、拉紧重锤宜采用重锤箱、重锤架或重锤井应便于检查与维护，重锤井应设井盖和排水设施；

四、每个重锤箱应配备两根金属导轨。两个重锤箱之间的净空不得小于 400mm；

五、锚固端应采用允许串绳的夹块式、夹楔式或夹块夹楔联合式锚具；套筒式锚具和圆筒式锚具不宜采用；

六、锚固端和拉紧端应设串绳装置，并应在锚固端设置承载索储绳装置。

第 3.2.5 条 拉紧索及其导向轮的选择应符合下列要求：

一、承载索的拉紧索，应选用 6△ (42) 或 6◓ (33) +6△ (21) 同向捻钢丝绳，其公称抗拉强度不宜低于 1520MP$_a$；

二、承载索的拉紧索，其抗拉安全系数不得小于 4.5；

三、承载索的拉紧索，其导向轮直径与拉紧索直径之比，不得小于 25。

第 3.2.6 条 拉紧重锤的行程，应使重锤在索道运行过程中始终呈悬空状态。计算重锤行程时，应计入承载索的弹性伸长、残余伸长、温度伸长和载荷变化所引起的重锤位移，并应计入 0.5~1.0m 的余量。

第 3.2.7 条 承载索的连接，应符合下列要求:

一、在一个拉紧区段内，宜采用整根的密封式钢丝绳;

二、线路套筒宜采用楔接。线路套筒与支架的距离，不得小于 15m;

三、过渡套筒内承载索的末端宜采用楔接。拉紧索的末端应采用铸接。

第 3.2.8 条 鞍座的选择应符合下列要求:

一、承载索的最大折角小于等于 16° 时，应选用摇摆鞍座;大于 16° 时，可选用带垂直滚轮组的固定鞍座;

二、摇摆鞍座、固定鞍座和偏斜鞍座,宜设尼龙衬垫;

三、鞍座的曲率半径，应按下式计算:

$$R>0.5v^2 \tag{3.2.8}$$

式中 R——鞍座的曲率半径 (m);

v——货车运行速度 (m/s)。

四、当货车运行速度较低时，无衬或青铜衬鞍座的曲率半径不得小于承载索直径的 100 倍;尼龙衬鞍座的曲率半径不得小于承载索直径的 150 倍;

五、拉紧区段站的固定鞍座，其曲率半径不得小于 20m。

第三节 牵引索与有关设备

第 3.3.1 条 牵引索的选择，应符合下列要求:

一、牵引索应选用 6M7 面接触、6X (19) 线接触的同向捻钢丝绳，其公称抗拉强度不宜小于 1520MPa;

二、牵引索不得采用交互捻钢丝绳;

三、钢丝绳表面丝的直径不得小于 1.5mm。

第 3.3.2 条 牵引索的抗拉安全系数应为 4.5~5.0。

第 3.3.3 条 传动区段的划分应符合下列要求:

一、应采取提高运行速度、增大牵引索直径，提高牵引索公称抗拉强度、改善驱动装置防滑性能、实现两端驱动或双轮驱动等措施，延长传动区段的平距。

二、采用一端驱动时，一个传动区段的最大平距或最大高差，应按下列公式计算：

$$L_{max} = \frac{q_0 \left(\varepsilon \dfrac{\sigma B}{n} - C_2 \right)}{\left[\dfrac{A(1+\beta))}{0.367v} + q_0 \right] [tan\alpha \pm f_0]}$$ (3.3.3-1)

$$H_{max} = \frac{q_0 \left(\varepsilon \dfrac{\sigma B}{n} - C_2 \right)}{\left[\dfrac{A(1+\beta))}{0.367v} + q_0 \right] \left[1 \pm \dfrac{f_0}{tan\alpha} \right]}$$ (3.3.3-2)

式中　L_{max}————个传动区段的最大平距 (m)；

H_{max}————个传动区段的最大高差 (m)；

q_0——牵引索每米重力 (N／m)；

ε——牵引索的结构系数，6M7钢丝绳ε为9.591，6X (19) 钢丝绳 ε 为9.585；

σ_B——牵引索的公称抗拉强度 (MPa)；

n——牵引索的抗拉安全系数；

C_2——牵引索最小拉力与其每米重力的比值；

A——索道小时运输能力 (t／h)；

β——空车重力与有效载荷的比值；

v——货车的运行速度 (m／s)；

α——传动区段全线的平均倾角 (°)；

f_0——货车的运行阻力系数，其值应符合本规范第3.4.2条的规定。在本公式中，动力型索道应采用正号，制动型索道应采用负号。

三、对于多传动区段索道，应进行多方案比较，合理划分各传动区段。

四、在多传动区段索道中，各传动区段牵引索的直径必须相同，各驱动装置的型号宜统一。

五、在多传动区段索道中，宜将转角站兼作中间驱动站或中间拉紧站。

第 **3.3.4** 条 导向轮直径与牵引索直径的比值，应符合表3.3.4的规定。

导向轮直径与牵引索直径的比值 D / d   表 3.3.4

包角（°）	＜4	5～10	11～20	21～30	31～90	91～180
D / d	不限	30	40	50	60	80～100

第 **3.3.5** 条 牵引索的编接与拉紧应符合下列要求：

一、牵引索应减少编接接头的数量；

二、牵引索应采用重锤拉紧方式；

三、拉紧重锤的结构与配置，应符合本规范第3.2.4条的规定；

四、高架站房可采用单绳拉紧方式；单层站房应采用四绳拉紧方式，并应设置调节重锤位置的电动或手动绞车。

第 **3.3.6** 条 拉紧装置的选择应符合下列要求：

一、拉紧轮的直径，应按索距确定，并应符合本规范第3.3.4条的规定；

二、拉紧轮的绳槽，宜衬软质耐磨衬垫；

三、拉紧小车的行程，至少应保证牵引索剁一次接头所需补偿的长度。

第 **3.3.7** 条 拉紧索及其导向轮的选择，应符合下列要求：

一、牵引索的拉紧索，当采用单绳拉紧方式时，应先用6X (37)、6W (36) 或6XW (36) 线接触的同向捻钢丝绳；当采用四绳拉紧方式时，应选用6T (25) 或6X (19) 线接触的同向捻钢丝绳；其公称抗拉强度不宜小于1520MPa；

二、牵引索的拉紧索，其抗拉安全系数不得小于5；

三、牵引索的拉紧索，其导向轮直径与拉紧索直径之比，不得小于40；

四、导向轮的绳槽，应衬软质耐磨衬垫。

第四节　牵引计算与驱动装置选择

第 3.4.1 条　牵引计算应符合下列要求：

一、应采用逐点计算法，从拉紧轮向驱动轮计算各特征点的拉力。

二、在下列三种载荷情况中，动力型索道应计算第一、二种载荷情况；制动型索道应计算第一、三种载荷情况；介于动力型和制动型之间的索道，应同时计算三种载荷情况：

1. 重车侧和轻车侧按设计车距布满重车和空车，形成正常运行载荷情况；

2. 线路下坡区段缺重车或空车，形成最不利的动力运行载荷情况；

3. 线路上坡区段缺重车或空车，形成最不利的制动运行载荷情况。

三、缺车区段的长度，应按连续三分钟不发车计算。发车间隔时间大于 36s 的索道，应按连续不发五个货车计算。

四、牵引索通过各种导向轮的阻力，应计入导向轮的轴承阻力，并应计入牵引索的的刚性阻力。

五、计算惯性力时，应计入直线运动部分的质量和各种导向轮折算到轮缘上的质量。长度小于 3Km 的索道，尚应计入驱动装置高速旋转部分换算到驱动轮轮缘上的质量。

第 3.4.2 条　货车在承载索上的运行阻力系数，采用铸钢车轮的货车，制动运行时应为 0.0045，动力运行时应为 0.0065；采用铸型尼龙轮衬的货车，制运行时应为 0.0055，动力运行时应为 0.0075。

第 3.4.3 条　牵引索的最小拉力，应符合下列要求：

一、牵引索的最小拉力，应按下式计算：

$$t_{min} > C_2 q_0 \qquad (3.4.3)$$

式中　t_{min}——牵引索的最小拉力（N）；

C_2——牵引索最小拉力与牵引索每米重力的比值。

二、牵引索最小拉力与牵引索每米重力的比值，应符合下列规定：

1. 水平牵引式索道，应按索道全线的牵引索具有与承载索相似的挠度和货车在线路上不产生横向歪斜的条件确定；

2. 下部牵引式索道，应根据货车在索道全线上稳定运行的条件确定。当传动区段的平距或高差很大时，C_2 应取较小值，但不宜小于 600；当传动区段的平距或高差很小时，C_2 应取较大值，但不宜大于 1200；当传动区段的平距或高差比较适中时，C_2 宜为车距的 10 倍，但不宜小于 600 或大于 1200。

三、牵引索的最小拉力，应保证驱动轮上的牵引索不打滑，并应保证垂直或水平滚轮组上的牵引索不脱索。

第 3.4.4 条 驱动装置的选择，应符合下列要求：

一、高架站房宜采用立式驱动装置；低站房宜采用卧式驱动装置。

二、一般应选用摩擦式驱动装置。在特殊情况下可选用夹钳式驱动装置。

三、驱动装置的抗滑性能，应按下列公式计算：

正常运行时

$$\frac{t_{min}(e\mu\alpha - 1)}{P} \geqslant 1.25 \tag{3.4.4-1}$$

起动或制动时

$$\frac{t_{min}(e\mu\alpha - 1)}{P' + J} \geqslant 1.1 \tag{3.4.4-2}$$

式中 t_{min}——正常运行时驱动轮出侧或入侧牵引索的最小拉力 (N)；

t'_{min}——按最不利载荷情况计算的驱动轮出侧或入侧牵引索的最小拉力 (N)；

μ——牵引索与驱动轮衬垫的粘着系数；

α——牵引索在驱动轮上的包角 (Rad)；

P 正常运行时驱动轮上的圆周力 (N)；

P'——按最不利载荷情况计算的驱动轮上的圆周

力 (N);

J——惯性力 (N); 其 计 算 应 符 合 本 规 范 第 3.4.1的规定。

四、驱动轮衬垫的比压,应按下式计算:

$$\frac{t_r + t_c}{Dd} \leqslant (P) \tag{3.4.4-3}$$

式中　　t_r——正常运行时驱动轮入侧牵引索的拉力 (N);

　　　　t_c——正常运行时驱动轮出侧牵引索的拉力 (N);

　　　　D——驱动轮直径 (mm);

　　　　d——牵引索直径 (mm);

　　　　(P)——驱动轮衬垫的允许比压 (MPa)。

五、牵引索与驱动轮衬垫的粘着系数及允许比压,应符合表 3.4.4 的规定。

牵引索与驱动轮衬垫的粘着系数及允许比压　　　表 3.4.4

衬垫名称或代号	粘 着 系 数	允许比压 (MPa)
G-130	0.25	2
半硬聚氯乙烯	0.20	2
高硬丁睛橡胶	0.20	2

注: 选用 G-130 衬垫时, 牵引索应采用增摩脂进行润滑。

第3.4.5条 驱动装置电动机的选择, 应符合下列要求:

一、一般应选用交流绕线型电动机。当索道侧型复杂、运行速度和负力都较大时, 宜选用直流电动机。

二、按正常运行功率选择电动机时, 应计入功率备用系数。功率备用系数, 动力型索道应为 1.15; 制动型索道应为 1.30。

按最不利运行功率选择电动机时, 可不计入功率备用系数。

三、索道为凸起侧型或混合侧型时, 驱动轮上的圆周力应计入牵引索折曲所引起的附加阻力。

四、按正常运行功率选择的电动机, 其容量应按在最不利载荷情况下起动或制动的条件校验。校验后，电动机的过载系数不得大于额定值的0.9倍。

第3.4.6条 驱动装置制动器的选择，应符合下列要求：

一、制动器应具有逐级加载和平稳停车的制动性能；

二、制动型索道和停车后会自然倒转的动力型索道，应设置工作制动器和安全制动器。停车后不会自然倒转的动力型索道，可仅设工作制动器；

三、当运行速度超过额定速度的15%时，制动型索道的工作制动器与安全制动器应能自动相继投入工作，两者合成的制动力矩，应使减速度控制在 $0.5 \sim 1.0 \text{m}/\text{s}^2$ 范围内；

四、负力很大的制动型索道，宜在低速轴上设置两套独立的盘式或夹钳式液压制动器，兼作工作制动器与安全制动器。

第五节 线 路 设 计

第3.5.1条 索道侧型应平滑，并应符合下列要求：

一、索道侧型不应有突变的折曲或过多的起伏。

二、比高较大的独立山峰或凸起地段的突出山包，宜采取开挖边坡，明槽或涵洞等措施。

三、凸起侧型每个支架的弦折角，下部牵引式索道宜为3～4%；水平牵引式索道宜为5～6%。

四、每个支架的最大折角，应控制在10～15%范围内。大跨距两端的支架，其最大折角不得超过30%。

五、不同折角的支架，应选择不同允许折角的鞍座。

第3.5.2条 索道负荷应均匀，并应符合下列要求：

一、同时驶近支架的重车数，不得超过线路上重车总数的25%。

二、跨距与车距的水平投影的比值，应为0.3～0.4、0.8、1.15～1.3、1.75、2.3～2.6和3.45。

第3.5.3条 站房设置应合理，并应符合下列要求：

一、驱动站：

1. 应选择牵引索拉力最大、抗滑条件最好的端站作为驱动站。动力型索道的卸载站和制动型索道的装载站应为驱动站。介于动力和制动型之间的索道。可按供电、维修、交通等条件确定驱动站的位置;

2. 多传动区段索道相邻两段的驱动装置,宜集中设置在中间驱动站内;

3. 当相邻两个传动区段的功率为一正一负,或两段功率符号相同但两段高差之和较大需控制牵引索直径时,宜采用一台卧式驱动装置同时传动两段的中间驱动方案。

二、拉紧站:

1. 应选择没有驱动装置的端站作为拉紧站;

2. 当没有驱动装置的端站内设有自动迂回轮时,驱动站应兼作拉紧站;

3. 当驱动站兼作拉紧站时,牵引索的重锤应设在驱动装置牵引索拉力较小的一侧;

4. 对于地形起伏较大或线路中凸起地段高于驱动站的长距离索道,在最不利的载荷情况下驱动站的牵引索产生不允许的低拉力时,宜在驱动装置牵引索拉力较小的一侧设置辅助拉紧装置。辅助重锤所产生的牵引索拉力,应小于牵引索正常运行时的拉力。

三、转角站:

1. 转角站应与传动区段站、拉紧区段站、中间装卸站或交汇站合并,做到一站多用,避免设置单一功能的中间站;

2. 自动转角站不宜设在索道侧型的最低处;

3. 自动转角站的水平滚轮组,应采用较大的曲率半径。

四、拉紧区段站:

1. 拉紧区段站承载索的进、出站角,其仰角宜小于 5%,不宜采用凹形滚轮组。

2. 拉紧区段站的凸形或凹形滚轮组,应采用较大的曲率半径,并应按本规范第 3.6.6 条的规定进行校验。

3. 位于凸起地段的双锚站,宜采用带有大曲率半径凸形垂直滚轮组的连环架。

4. 双锚站的高度不得小于 5m。拉锚站和双拉站的高度根据重锤行程等因素确定，一般情况下不得小于 9m。

5. 拉紧端承载索在偏斜鞍座上的站内折角，空、重车侧承载索的平面折角，不得大于 15%；重车侧承载索的立面折角，不得大于 12%；空车侧承载索的立面折角，不得大于 15%。

锚固端承载索在偏斜鞍座上的站内折角，可适当增大。

第 3.5.4 条 配置支架时，应减小各支架上牵引索的附加压力，并应符合下列要求：

一、站前第一跨支架配置：

1. 承载索仰角进站时，其空索倾角应大于扁轨倾角，但两者之差不宜大于 5%。

承载索俯角进站时，其空索倾角应小于扁轨倾角，但两者之差不宜大于 5%。

2. 承载索满载时站口端的倾角，不得大于 15%。

3. 站前第一跨的跨距，宜小于车距，并宜小于 60m。

二、平坦地段或坡度均匀的倾斜地段支架配置：

1. 各支架的跨距，宜按照重车侧牵引索拉力的逐跨增大而逐跨减小；

2. 各支架上牵引索的附加压力，不宜大于重车重力的 0.2～0.25 倍。

三、凸起地段支架配置：

1. 支架高度不得小于 5m，跨距不得小于 20m；

2. 对于总折角较大并受到地形限制的凸起地段，可采用带有大曲率半径凸形垂直滚轮组的的连环架代替支架群。

四、凹陷地段支架配置：

1. 当支架相邻跨距内没有货车、承载索出现最大拉力和不计风力时，承载索对鞍座的靠贴系数不得小于 1.2；

2. 在困难条件下，当采用带有防抬索装置的鞍座时，承载索在支架上的最小折角，允许出现适当的负值。

3. 当大跨距两端支架上的最大折角超过摇摆鞍座的许用折角时，应在支架附近设立辅助支架。不得在一个支架的同一侧上设置两个摇摆鞍座。

第3.5.5条 支架的空索倾角，应按支架相邻跨距内没有货车和承载索出现最大拉力的条件确定。

一、空索倾角应按下列公式计算:

$$\beta_z = Sin^{-1} \frac{q_c l_z}{2 T_{max}} + \alpha_z \tag{3.5.5-1}$$

$$\beta_y = Sin^{-1} \frac{q_c l_y}{2 T_{max}} + \alpha_y \tag{3.5.5-2}$$

式中 β_z——计算支架左侧的空索倾角 (°);

β_y——计算支架右侧的空索倾角 (°);

q_c——承载索每米重力 (N/m);

T_{max}——承载索在计算支架上的最大拉力 (N);

α_z——计算支架左侧的弦倾角 (°);

α_y——计算支架右侧的弦倾角 (°)。

二、弦倾角应按下列公式计算:

$$\alpha_z = tg^{-1} \frac{h_z}{l_z} \tag{3.5.5-3}$$

$$\alpha_y = tg^{-1} \frac{h_y}{l_y} \tag{3.5.5-4}$$

式中 h_z——左跨的支架高差 (m)，计算支架高于左侧支架时为正，反之为负;

h_y——右跨的支架高差 (m)，计算支架高于右侧支架时为正，反之为负;

l_z——左跨的跨距 (m);

l_y——右跨的跨距 (m)。

第3.5.6条 支架的重索倾角，应按线路上均匀布满重车、其中一辆重车紧靠计算支架左侧或右侧和承载索出现最小拉力的条件确定。

一、重索倾角应按下列公式计算:

一辆重车紧靠被算支架左侧时

26

$$\theta_z = are Sin \frac{(1+\tau_z)Q_z Cos\alpha_z + 0.5q_c l_z}{T_{min}} + \alpha_z \quad (3.5.6-1)$$

$$\theta_y = are Sin \frac{\tau_y Q_z Cos\alpha_y + 0.5q_c l_y}{T_{min}} + \alpha_y \quad (3.5.6-2)$$

一辆重车紧靠被算支架右侧时

$$\theta_z' = are Sin \frac{\tau_z Q_z Cos\alpha_z + 0.5q_z l_z}{T_{min}} + \alpha_z \quad (3.5.6-3)$$

$$\theta_y' = are Sin \frac{(1+\tau_y)Q_z Cos\alpha_y + 0.5q_c l_y}{T_{min}} + \alpha_y \quad (3.5.6-4)$$

式中　　θ_z、θ_y——一辆重车紧靠计算支架左侧时，该支架左侧或右侧的重索倾角（°）；

　　　　θ_z'、θ_y'——一辆重车紧靠计算支架右侧时，该支架左侧或右侧的重索倾角（°）；

　　　　τ_z——左跨载荷分配系数；

　　　　τ_y——右跨载荷分配系数；

　　　　Q_z——重车侧集中载荷（N），$Q_z=Q+q_0\lambda$；

　　　　Q——重车重力（N）；

　　　　q_0——牵引索每米重力（N）；

　　　　λ——车距（m）；

　　　　T_{min}——承载索在计算支架上的最小拉力（N）。

二、载荷分配系数应按下列公式计算：

$$\tau = (n-1)\left(1-\frac{n\lambda Cos\alpha}{2l}\right) \quad (3.5.6-5)$$

$$n = 1 + \frac{l}{\lambda Cos\alpha}（仅取整数部分） \quad (3.5.6-6)$$

第 3.5.7 条　考察点的总挠度，应按线路上均匀布满重车、其中一辆重车刚好运行到考察点上方和承载索出现最小拉力的条件确定。

一、考察点的总挠度应按下式计算：

$$f_x = \frac{x(l-x)}{T_{min}' Cos\alpha}\left(\frac{q_c}{2Cos\alpha} + \frac{\tau' Q_z}{l}\right) \quad (3.5.7-1)$$

式中　　f_x——考察点的总挠度 (m)；

　　　　x——考察点与左侧支架的平距 (m)；

　　　　T'_{min}——两支架上承载索最小拉力的平均值 (N)；

　　　　τ'——载荷影响系数。

二、载荷影响系数，应按下式计算：

$$\tau' = 1 + m\left(1 - \frac{1+m}{2x}\lambda Cos\alpha\right) + n\left[1 - \frac{1+n}{2(l-x)}\lambda Cos\alpha\right]$$

$$(3.5.7\text{-}2)$$

式中　m——考察点左侧货车个数，$x < \lambda Cos\alpha$ 时 m = 0，

　　　$x > \lambda Cos\alpha$ 时 $m = \dfrac{x}{\lambda Cos\alpha}$（仅取整数部分）；

　　　n——考察点右侧货车个数，$l-x < \lambda Cos\alpha$ 时 n = 0，

　　　$l-x > \lambda Cos\alpha$ 时 $n = \dfrac{l-x}{\lambda Cos\alpha}$（仅取整数部分）。

第六节　站房设计

第3.6.1条　站房的设计，应符合下列要求：

一、端站平面的主轴线，宜为直线；

二、应减少牵引索导向轮的数量；

三、拉紧区段站和自动转角站，可不设置围护结构；

四、非自动化站的进口部分，可不设置屋顶和外墙，但应设置地坪和护栏；

五、在气候温暖地区，非自动化站可以取消外墙，但应设置屋顶、地坪、护栏和小型休息室；

六、离地高度小于 2.5m 的牵引索和设备运动部位，应设护罩或护栏；

七、高架站房的站口，必须设置护栏或悬臂式安全网；

八、站口滚轮组、站内辅助设备的驱动装置、货车检查处和重锤架头部，均应设置带有护栏的操作平台或操作通道；

九、非自动化站应设给水和排水设施。

十、站房进出口、驱动装置减速器、直流电动机的冷却风机等噪声源，应采取消音措施。

第3.6.2条 驱动机房的设计，应符合下列要求：

一、机房的布置应便于维修。驱动装置的四周，应设宽度不小于1m的通道。

二、卧式驱动装置应设在站内。其四周应设护栏。其控制室应设在靠近站口的站房外侧。

三、立式驱动装置宜设在站外或高架站房的底部。其控制室应设在站内。

两个垂直导向轮的支架或支承构件，当采用钢结构时，应校核其刚度；当采用钢筋混凝土结构时，应校核其抗震和抗裂性能。

第3.6.3条 料仓的设计，应符合下列要求：

一、运量较大且线路较短或非三班作业的索道，装料仓的有效容积，可小于索道一个班的运输量。

运量较小且线路较长或三班作业索道，装料仓的有效容积，宜大于索道一个班运输量。

二、索道与衔接车间的作业班次不同时，装料仓的有效容积，不得小于索道10小时的运输量。

三、多传动区段的长距离索道，应适当加大装料仓的有效容积，并应设置线路故障检测装置。

四、运输能力超过500t／h的大运量索道，装料仓的有效容积，不得小于索道2小时的运输量。

五、卸料仓的有效容积，应根据衔接车间或衔接运输工具的生产特点进行确定。

第3.6.4条 货车的装载，应符合下列要求：

一、一般情况下应采用重力式装载设备。当运输粘结性物料时，应采用强制式装载设备。

二、装载口的数量，应根据运输能力、物料特性和装载设备性能确定，但不得少于两个。

旋转式装载机不受此限。

三、一般情况下应采用内侧装载方式。

当采用外侧装载方式时，装载口应设双导向板。

四、在同一条索道上，不得同时采用内、外侧装载方式。

五、装载口应设防止货车横向摆动的导向板或稳车器。

第3.6.5条 货车的卸载与复位应符合下列要求：

一、对于容积大于 1.6m³ 的翻卸式货车，宜设置能强制货箱翻转的卸载装置。

二、卸载口不宜少于两个。

三、卸载口或卸载带应设防止货车横向摆动的导向板。

四、卸载口应设格筛。当卸载带很长并采用机械推车时，可不设格筛，但应在卸料仓两侧或中间设置带护栏的操作通道。

五、卸载口的长度，应按下式计算：

$$L > 3v + l \qquad (3.6.5)$$

式中 L——卸载口长度 (m)；

v——货车在卸载口的运行速度 (m/s)；

l——货箱长度 (m)。

六、货车应设复位装置。复位装置应设在卸载站内。

七、货车复位时应设置机械推车装置，推车速度不得大于 0.5m/s。

第3.6.6条 站口的设计，应符合下列要求：

一、当承载索的仰角不大于 5% 或俯角不大于 8% 时，可采用无垂直滚轮组的站口，但站口必须设置托轮；

二、当承载索的仰角大于 5% 时，应设凹形垂直滚轮组；

三、当承载索的俯角大于 8% 时，应设凸形垂直滚轮组，并应设防止抱索失误的货车滑向线路的装置；

四、凹形垂直滚轮组的曲率半径，应按牵引索不脱出钳口和牵引索不抬起空车的条件校验；

五、凸形垂直滚轮组的曲率半径，应按牵引索作用在抱索器上的压力不大于货车允许压力值的条件校验；

六、垂直滚轮组的曲率半径，宜为 20、30、40、50、60、80、100 和 120m；

七、牵引索在每个滚轮上的折角，应按径向载荷不大于 800N 的条件确定；

八、滚轮组的轮距，宜为 300、400、500、600、800 和 1200mm。

第 3.6.7 条 挂结器与脱开器的设置，应符合下列要求：

一、应保证挂结器与脱开器前后的牵引索稳定运行。

牵引索在挂结器和脱开器内托轮上的折角，宜为 1～2%。

二、挂结器前和脱开器后导向轮的安装位置，应便于调节。

三、货车与牵引索挂接时，抱索器的速度不得小于牵引索的速度，但不得大于牵引索速度的 10%。

四、挂结器前扁轨加速段、脱开器后扁轨减速段的坡度，不得大于 10%。

第 3.6.8 条 扁轨的配置，应符合下列要求：

一、扁轨宜采用轧制的双头轨。

二、吊架或吊钩的间距，重车侧直线段应为 2m；空车侧直线段应为 2.5～3.0m。在曲线段上的间距，应根据平面曲率半径的不同适当减小。

三、扁轨及其吊挂系统的计算载荷，在货车不脱开牵引索的扁轨段，应按设计车距计算，并应乘以动力系数 1.1。

在货车脱开牵引索的扁轨段，应按货车紧密排列计算，但不应计入动力系数。

四、每个传动区段的端站，应设存放货车的副轨。两端站间主轨和副轨的总长，应能存放本传动区段的全部货车。

五、应减少主轨和副轨在平面和立面上的弯曲次数。主轨的最小平面曲率半径，应符合表 3.6.8 的规定。副轨的最小平面曲率半径，可采用 2m。主轨和副轨的立面曲率半径均不得小于 5m。

货车运行速度 (m／s)	0.5	1.2	1.6	2.0	2.5	3.0	3.6	4.0
最小平面曲率半径（m）	2.5	4	7	10	12	15	18	20

六、紧靠挂结器或脱开器的扁轨，在 2m 长度内，不应有平面上的弯曲。

七、扁轨的反向弧之间，应设直线段。其长度不得小于 1.5m。

八、阻车器前后各 1m 长的扁轨，应设坡度，直线段应为 1.5%；平面曲率半径为 4~7m 的曲线段应为 3.5~2.5%。

九、在搭接道岔处，主轨应无接头；在平移道岔处，主轨接头应锁定。

第 3.6.9 条　货车的自溜速度，应符合下列要求：

一、自溜速度不得大于 2.0m／s；

二、自溜速度在直线段上不得小于 0.8m／s；在曲线上不得小于 1.0m／s；

三、货车进入推车机时的自溜速度，应比推车机运行速度大 30~40%。

第 3.6.10 条　货车在站内的运行阻力，应符合下列要求：

一、货车在直线段扁轨上的运行阻力系数，当货车重力小于或等于 7.5KN 时应为 0.0065，当货车重力大于 7.5KN 时应为 0.0055。

二、货车在曲线段扁轨上的附加运行阻力系数，应按下式计算：

$$f_o = 0.1 \frac{l}{R} \tag{3.6.10}$$

式中　f_o——货车在曲线段扁轨上的附加运行阻力系数；

l——货车运行小车平面转向轴之间的轴距（m）；

R——曲线段扁轨的平面曲率半径（m）。

三、货车通过站内有关设施的附加阻力，应换算成高差，道岔为 0.07m；卸载挡杆为 0.01m；螺旋复位器为 0.1m；单导向板每米为 0.005m；双导向板每米为 0.008m。

第 3.6.11 条 水平滚轮组的设计，应符合下列要求：

一、滚轮的直径不宜小于 600mm，宽度不宜小于 140mm；

二、牵引索在每个滚轮上的折角，应按径向载荷不大于 6KN 的条件确定；

三、货车通过水平滚轮组时，牵引索作用在钳口上的水平力，不得大于 10KN；

四、应设一定数量的牵引索跳离水平滚轮后能自动恢复原位的斜置托辊。

第 3.6.12 条 自动转角站与自动迂回站的扁轨配置应符合下列要求：

一、在水平滚轮组或迂回轮的前、后约 5m 处，应各设一个宽边垂直托辊，托辊上方的扁轨应局部抬高；

二、空、重侧扁轨应采用与水平滚轮组相同的曲率中心；

三、在货车进出水平滚轮组或迂回轮处，应设置能平稳引导货车自动进出水平滚轮组或迂回轮的扁轨过渡段。

第 3.6.13 条 货车在站内的净空尺寸应符合下列要求：

一、计算货车在站内的净空尺寸时，应计入货车的纵、横向摆动。但在设有双导向板的扁轨上，不应计入货车的横向摆动。

二、货车在避风站内的横向摆动，在直线段扁轨上应为 8%；在曲线段扁轨上应为 16%。货车在非避风站内的横向摆动，在直线和曲线段扁轨上应为 16%。

三、货车的纵向摆动应为 14%。

四、在计入货车的纵、横摆动后，货车在站内的净空尺寸应符合下列规定：

1. 货车最大外形与地面的净空尺寸，不得小于 0.2m；

2. 当卸载口设格筛时，翻倒的货箱与格筛顶面的净空尺寸，不得小于物料最大块度加上 0.05m；

3. 货车与墙壁的净空尺寸，有人通行处不得小于 0.8m；无人通行处不得小于 0.6m；

4. 货车与无人通行处柱子突出部分的净空尺寸，不得小于 0.3m；

5. 在人力推车区段，货箱上缘与地板之间的距离，不得大于 1.2m。

第 3.6.14 条 站内的辅助设备，应符合下列要求：

一、货车容积较大，发车间隔时间较短或站房较长的索道，应设推车设备；

二、运输粘结性物料的索道，装、卸载站的料仓，宜设改善物料流动的振动设备。卸载站宜设货箱清理设备；

三、运输含粉尘的物料时，装、卸载处应设除尘设备；

四、装载工位应设阻车、计量、推车等设备；

五、发车工位应设保证车距或发车间隔时间的发车设备；

六、复位工位应设推车设备。

第七节 电 气 设 计

第 3.7.1 条 电气的控制，应符合下列要求：

一、动力型索道起动时，应使驱动装置获得恒定的起动转矩。

负力矩较大的制动型索道，应采取动力制动的起动方式。

二、索道正常起、制动时的加、减速度，应控制在 $0.1\sim0.15m/s^2$ 范围内。

三、正常运行时，牵引索运行速度的变化不得大于 5%。

四、未设机械变速装置的驱动装置，应有 $0.3\sim0.5m/s$ 的检修速度。

五、低速反转运行的时间，不得少于三分钟。

六、索道紧急制动后，在事故开关复位之前驱动装置不应重新起动。

七、多传动区段的索道，各段宜设同步起动与制动的装置。

八、拉紧装置和拉紧重锤轨道的两端，应设行程开关。

当拉紧小车或拉紧重锤到达极限位置时，索道应自动停车。

九、驱动装置的电动机，应设下列保护装置：

1. 过电流保护；

2. 过负荷保护；

3. 失压保护；

4. 超速保护；

5. 对制动型索道应有零电流保护。

第 3.7.2 条 侧型复杂的大运量索道，应设抱索、脱索和线路监控装置。

第 3.7.3 条 通信的设计，应符合下列要求：

一、装载站、卸载站与非自动中间站之间，应设专用直通电话；

二、自动转角站、拉紧区段站或某些制高点处的支架，应设专用直通电话的接线插座；

三、通信线路应靠近索道线路；

四、装载站与卸载站应设外部行政电话；

五、站房人员与巡线人员，应配备无线电对讲机；

六、装载站、卸载站和非自动中间站应设开车与停车信号。

第 3.7.4 条 照明的设计，应符合下列要求：

一、各站房应设电气照明。

装、卸载处和主要设备处应设局部照明。

二、站房出口处应设投光灯。

第 3.7.5 条 防雷与接地的设计，应符合下列要求：

一、站房应设避雷装置；

二、支架和承载索应接地，接地电阻不得大于 30Ω；

三、站内设备和配电装置的外壳，应接地或接零。

第八节 保 护 设 施

第 3.8.1 条 保护设施的设计，应符合下列要求：

一、索道跨越铁路、主航道、干线公路、建筑物、35～110kv 架空电力线路时，应设保护设施；

二、当索道位于有关设施的陡坡的上方时，必须设置防止坠落货车翻滚到有关设施上的拦网；

三、保护范围较长和货车坠落高度较大时，应采用保护网；保护范围较短和货车坠落高度较小时，应采用保护桥；

四、保护网底面与跨越设施之间的净空尺寸，应按货车冲击的条件校验；

五、当承载索拉力最小时，保护设施顶面与运动货车底面之间的净空尺寸，不得小于货车的最大横向尺寸；

六、保护网的宽度，不得小于索距加 3m；保护桥的宽度。当货车坠落高度不大于 3m 时，不得小于索距加 2.5m；

七、索道跨距超过 250m 的保护设施，其宽度应按承载索和货车均受 200Pa 工作风压作用发生偏斜的条件校验。

第 3.8.2 条 保护网的设计，应符合下列要求：

一、保护网应由粗、细两层格网组成，细格网的网孔尺寸不宜大于 20mm × 20mm。

当不允许坠落细料时，应采用搭接铺板代替细格网。

二、保护网的横剖面应为梯形，其边缘高度宜为 0.5～1.2m。

三、保护网的跨距，不宜大于 100m。

四、当保护网的跨距大于保护长度时，可仅在保护范围内设置格网。

五、保护网的支架，应设工作梯。

六、主索应选用 6×7、6×19 或 1×37 镀锌钢丝绳，其公称抗拉强度不宜低于 1570MPa。

七、边索应选用 6×7 普通钢丝绳。

八、主索应采用两端锚固方式，其中一端应设螺旋调节装置。

九、保护网的计算，应符合下列规定：

1. 主索的最大工作拉力，应按保护网承受自身重力和雪载荷或裹冰载荷、环境温度为−5℃的条件计算；

2. 主索的抗拉安全系数不宜小于 2.5，并不宜大于 2.8；

3. 货车坠落的允许高度，应按保护网跨度中间承受一辆重车冲击载荷的条件计算。

第 3.8.3 条 保护桥的设计，应符合下列要求：

一、保护桥应采用钢筋混凝土结构或钢结构。

二、保护桥的桥面，应设吸震层。其厚度宜为 2.0～0.8m。

三、当货车坠落高度很大和保护范围长度很小时，可采用尖顶式或带有柔性网桥面的保护桥。

四、保护桥的两侧，应设护栏和防止坠落物料滚出桥面的侧板。保护桥的正面应设工作梯。

五、保护桥的跨距不宜大于 15m。当保护桥较长时，可采用连续多跨结构型式。

第四章 单线循环式货运索道工程设计

第一节 货 车

第 4.1.1 条 货车的选择,应符合下列要求:

一、爬坡角为 20°及以下时,可选用可鞍式抱索器。

承载能力为 1t 及以下,运行速度为 2.5m／s 及以下和爬坡角为 20°～28°时,可选用四连杆式抱索器。

承载能力大于 1t、运行速度高于 2.5m／s 和爬坡角大于 28°时,可选用弹簧式抱索器。

二、货车选择的其他要求,应符合本规范第 3.1.1 条的规定。

第 4.1.2 条 货车的设计,应符合下列要求:

一、货车的承载能力应为 0.4、0.7、1.0 和 1.25t;

二、货车的容积应为 0.25、0.32、0.4、0.5、0.63、0.8、1.0 和 1.25m^3;

三、货车设计的其他要求,应符合本规范第 3.1.2 条的规定。

第 4.1.3 条 货车的发车间隔时间,宜符合表 4.1.3 的规定。

货车的发车间隔时间   表 4.1.3

运输能力 (t／h)	20～50	51～100	101～150	151～300
发车间隔时间	40～50	30～40	18～30	12～18

第二节 承载牵引索与有关设备

第 4.1.1 条 承载牵引索的选择,应符合下列要求:

一、承载牵引索的结构、强度和捻向，应符合本规范第 3.3.1 条的规定；

二、钢丝绳表层丝的直径，不得小于 2mm；

三、选用鞍式抱索器时，两个钳口的中心距应与钢丝绳的捻距相适应。

第 4.2.2 条 承载牵引索的抗拉安全系数，不得小于 4.5，并不得大于 5.0。

第 4.2.3 条 承载牵引索的编接与拉紧，拉紧装置的选择和拉紧索及其导向轮的选择，应符合本规范第 3.3.5～3.3.7 条的规定。

第三节 牵引计算与驱动装置选择

第 4.3.1 条 牵引的计算，应符合本规范第 3.4.1 条的规定。

第 4.3.2 条 承载牵引索在钢衬托索轮上的阻力系数，动力运行时为 0.015～0.025；制动运行时为 0.01～0.015。

第 4.3.3 条 承载牵引索的最小拉力，应按下式计算：

$$T_{min} \geqslant C_3 Q \qquad\qquad (4.3.3)$$

式中 T_{min} ——承载牵引索的最小拉力 (N)；

C_3 ——承载牵引索最小拉力与重车重力的比值。选用四连杆式或单钳口弹簧式抱索器时 C_3 应取 10～12；选用鞍式或双钳口弹簧式抱索器时 C_3 应取 8～10；运量较大、高差较大、车距较小或跨距较小时取小值。反之取大值；

Q ——重车重力 (N)。

第 4.3.4 条 驱动装置的选择，除应符合本规范第 3.4.4～3.4.5 条的规定外，尚应符合下列要求：

一、当承载牵引索直径较大时，应优先选用卧式驱动装置；

二、在多传动区段索道中，宜采用一台卧式驱动装置同时传

动两段的方案;

三、驱动装置应按低速反转条件校验抗滑性能。

第四节 线路设计

第 4.4.1 条 线路的设计除应符合本规范第 3.5.1～3.5.8 条的有关规定外,尚应符合下列要求:

一、站前每一跨的跨距,宜为 5～10m。

二、各支架上每个托索轮的径向载荷,应接近相等。

三、平坦地段或坡度均匀的倾斜地段各支架上的载荷,应力求相等。

四、凸起地段支架的高度不得小于 4m,跨距不宜小于 15m。

五、凹陷地段的支架,按最不利的载荷条件校验,承载牵引索对托索轮组的靠贴系数不得小于 1.3。

六、选用带鹰咀的抱索器时,可采用压索式支架。

七、横向风力较大或靠贴系数较小的支架,宜设防止承载牵引索脱槽和上抬的装置。

八、当大跨距两端支架的最大折角超过单组托索轮的允许折角时,应在支架附近设置辅助支架。

不得在一个支架的同一侧上配置两套托索轮组。

九、钢丝绳倾角较大的托索轮组或站口垂直滚轮组,应按货车纵、横向摆动 20% 的条件,校验两者是否相碰。

十、计算支架两侧的倾角和考察点的总挠度时,本规范第 3.5.5～3.57 条中的 q_c 和 Q_z,应以 q_0 和 Q 代入。

第 4.4.2 条 托索轮组的选择,应符合下列要求:

一、采用钢衬托索轮组时,托索轮的直径不得小于承载牵引索直径的 16 倍,并应为: 400、500、600 和 700mm。

二、每个钢衬托索轮的允许径向载荷,应按下式计算:

$$[P] = 3.75D^{3/2}d \tag{4.4.2}$$

式中　　〔P〕——每个钢衬托索轮的允许径向载荷N;

D——托索轮直径（mm）；

d——承载牵引索直径（mm）。

三、每个钢衬托索轮的允许折角，应按允许径向载荷和承载牵引索拉力计算决定。但在任何情况下不得大于 5°。

四、大平衡梁设在托索轮正下方的托索轮组，不得选用六轮式或八轮式。

但大平衡梁设在托索轮内侧的托索轮组不受此限。

五、应优先选用悬吊安装的可调式托索轮组。

第五节 站房设计

第 4.5.1 条 站房、驱动机房和料仓的设计以及货车的装载、卸载和复位、应符合本规范第 3.6.1～3.6.5 条的规定。

第 4.5.2 条 挂结段的设计，应符合下列要求：

一、承载牵引索的稳定性。

1. 挂结段的两端应设稳索轮。

站口稳索轮与站内稳索轮的平距，宜为 2.5～4.0m。

站内稳索轮与挂结点的平距，不宜大于 1m。

2. 稳索轮应采用可调式单轮结构，其直径不得小于承载牵引索直径的 16 倍。

3. 承载牵引索在每个稳索轮上的最小折角，不得小于 1%。

4. 挂结段承载牵引索在运行和抱索过程中，不得上下颤动或左右窜动。

二、挂结段扁轨的设计：

1. 应采用刚度足够的扁钢作为挂结段扁轨的基本构件。

扁钢头部应焊上或制成与抱索器车轮轮槽相适应并能限制车轮横向窜动不大于 2mm 的轨道面。

2. 挂结段扁轨的吊挂或支承系统，应特别加强并具有足够的刚度。

3. 挂结段扁轨的立面变坡处。应采用立面曲率半径不小于

10m 的曲线段平缓过渡。

站口端应有适当长度的、能正确引导货车低速反转进入挂结段扁轨的导向段。其坡度应与承载牵引索出站角相适应，其端部应有立面曲率半径不小于 3m 的喇叭口，其头部应适当削尖或扩口。

4. 挂结段扁轨的平面形状，应保证抱索器在挂结过程中，不同开度的钳口中心始终与承载牵引索中心相吻合。

扁轨中心线与承载牵引索中心线之间的平距应能微调。并在微调合格后保持尺寸不变。

5. 挂结段扁轨与承载牵引索之间，宜保持如下几何关系：承载牵引索顶部与钳口顶部接触之前，钳口一直保持最大开度；承载牵引索顶部刚接触到钳口顶部，钳口便迅速关闭。

三、货车的悬挂状态与运行速度：

1. 进入挂结段之前，选用四连杆式抱索器的货车。应设拨正钳口的定向器和可调式压板。

选用其他抱索器的货车，应进行钳口最大开度检查或做好挂结前准备。

2. 挂结段之前的扁轨，其加速段的坡度不得大于 5%。

其平面曲率半径不得小于 12m。

扁轨下方应设限制货车横向摆动的双导向板。

3. 任何装载情况（空载、重载、偏载）的货车。进入挂结段时应用双导向板扶正，其横向摆动不宜大于 1%。

4. 挂结段前和挂结段内的双导向板，其工作面宜设减少货车纵向摆动的减摩衬条。

5. 货车在挂结过程中不得上跳，选用四连杆式抱索器的货车，钳口上方应设可调式弹簧压板。

抱索器带有定位轮的货车，应通过定位轮导轨使抱索器处于正确位置。

6. 在扣除曲线轨道、直线轨道、双导向板和有关导轨的阻力损失后，货车进入挂结段时的实际运行速度，应等于承载牵引索的运行速度。

7. 货车通过挂结段时所产生的纵向摆动，不得大于 10%。

四、配套设备与监控装置：

1. 采用弹簧式抱索器时，应设由承载牵引索驱动的加速装置。

2. 采用弹簧式抱索器时，应设定期抽查抱索力量的检查装置。

3. 各种抱索器均宜设置常闭节点式抱索状态监控装置。

第 4.5.3 条 脱开段的设计，应符合下列要求：

一、承载牵引索的稳定性，应符合本规范第 4.5.2 条第一款的规定。

二、脱开段扁轨的设计：

1. 脱开段扁轨的结构、平面形状和吊挂或支承系统，应符合本规范第 4.5.2 第二款第 1、2、4 项的规定。

2. 脱开段扁轨的立面变坡处。应采用立面曲率半径不小于 10m 的曲线段平缓过渡。

站口端应有适当长度的、能正确引导货车高速进入脱开段扁轨的导向段，其坡度应与承载牵引索进站角相适当，其端部应有立面曲率半径不小于 5m 的喇叭口，其头部应适当削尖或扩口。

3. 脱开段扁轨与承载牵引索之间，宜保持如下几何关系：钳口没有达到最大开度之前，承载牵引索顶部始终接触钳口顶部；钳口刚达到最大开度，承载牵引索便迅速脱出。

三、货车的悬挂状态与运行速度：

1. 进入脱开段扁轨的导向段前、任何装载情况（空载、重载、偏载）的货车。应用双导向板限制其横向摆动。

双导向板工作面的高度。应与站外承载牵引索的挠度变化相适应。

喇叭口的平面曲率半径不得小于 5m。并应按货车纵、横向摆动 20% 的条件校验。

2. 货车在脱开段内必须用双导板扶正，其横向摆动不宜大于 1%。

3. 脱开段前和脱开段内的双导向板。其工作面宜设减少货车纵向摆动减摩衬条。

4. 货车在脱开过程中不得上跳。

抱索器带有定位轮的货车，应通过定位轮导轨使抱索器处于正确位置。

5. 货车通过脱开段时所产生的纵向摆动，不得大于 10%。

6. 脱开段之后的扁轨，其减速段的坡度不得大于 6%。

其平面曲率半径不得小于 12m。

扁轨下方应设限制货车横向摆动的双导向板。

四、配套设备与监控装置：

1. 采用弹簧式抱索器时，应设由承载牵引索驱动的减速装置。

2. 各种抱索器均宜设置常闭节点式脱开状态监控装置。

第 4.5.5 条 扁轨的配置，除应符合本规范第 3.6.8 条的规定外，尚应符合下列要求：

一、扁轨的吊挂或支承系统。应有足够的刚度，并应便于调整扁轨坡度。

二、扁轨平面形状应简单，弯曲次数应最少。

三、承载牵引索与货车之间净空尺寸不够时，不应减小反向弯曲段的平面曲率半径，而应采用压索轮组使承载牵引索二次变坡。

四、吊钩或吊架的间距，重车侧直线段为 2m，空车侧直线段为 2.5m，曲线段应根据平面曲率半径的不同适当减小。

五、货车在直线段扁轨上的运行阻力系数，货车重力小于或等于 3.5kN 时为 0.008，货车重力大于 3.5kN 时为 0.0065。

货车在曲线段扁轨上的附加运行阻力系数和通过有关设施时的附加阻力，应符合本规范第 3.6.10 条第二～三款的规定。

第 4.5.5 条 转角站的配置，应符合下列要求：

一、宜采用以转折点为对称中心的对称配置方式。

二、外侧扁轨的反向弯曲段，应共用一个曲线段，并应采用较大的平面曲率半径。内侧扁轨应按下列要求配置：

1. 当转角小于 40°时，反向弯曲段应共用一个曲线段，并应采用较大的平面曲率半径；

2. 当转角为 40°～60°时，应取消反向弯曲段，并应共用一个直线段；

3. 当转角大于 60°时，应取消反向弯曲段，并应采用单一的大半径曲线段，平滑连接两端站口的直线段。

三、挂结段和脱开段的设计，应符合本规范第 4.5.2～4.5.3 条的规定。

四、从一端站口至一端站口之间，应设限制货车横向摆动的连续导向板。

五、货车在转角站内应自溜运行，其速度应控制在1.6～2.0 m／s 范围内。

六、空、重车侧的出口，应各设可以停放三辆以上货车的副轨。

第六节 电气设计

第 4.6.1 条 单线循环式货运索道的电气设计。应符合本规范第 3.7.1～3.7.5 条的规定。

第五章 双线往复式客运索道工程设计

第一节 客 车

第 5.1.1 条 乘务员的配备，应符合下列要求：

一、定员 16 人及以上的客车，应配备乘务员；

二、夜间运行的定员少于 16 人的客车，营业性索道应配备乘务员；非营业性索道可不配备乘务员。

第 5.1.2 条 每个乘客的计算载荷，应符合下列规定：

一、定员少于 16 人的客车，每个乘客应为 690N。

定员 16 人及以上的客车，每个乘客应为 640N。

二、对于滑雪或登山运动的专用索道，每个乘客的计算载荷，尚应增加 100N。

第 5.1.3 条 客车的计算，应符合下列要求：

一、客车的主要载荷应为空车重力、乘客的计算载荷和牵引索对客车的附加压力。

次要载荷应为风荷载、驱动装置或客车制动器的制动力、客车减摆装置的阻力和支架导向装置的摩擦阻力。

二、按主要载荷计算时，客车主要承载构件和重要部件的安全系数，不得小于 5。

在主要载荷和次要载荷联合作用下，特别是在承受扭转和疲劳载荷时，各主要承载构件和重要部件，应校核其强度和刚度。

三、吊架头部和末端套筒的销轴，其安全系数不得小于 7.5。

第 5.1.4 条 运行小车的设计，应符合下列要求：

一、车轮应设软质耐磨轮衬。

二、车轮之间应设平衡梁系统。

三、出现下列情况之一时，空车的各个车轮，不得从承载索上抬起或出轨：

1. 客车纵、横向摆动均达 35%时；

2. 牵引索的拉力增大 40%时；

3. 减摆装置的阻尼力矩达到峰值时；

4. 客车制动器在支架上或在支架附近制动时。

四、采用双承载的索道，有制动器的客车横向摆动 10%时，运行小车的车轮不得离开承载索。

无制动器的客车横向摆动 20%时，双承载索中一根承载索的载荷，不得小于全部载荷的 25%。

五、运行小车的两端，应设防止出轨的、衬有软金属的导向板。

六、运行小车应设无动力式承载索润滑装置。

七、在多雪或裹冰地区，运行小车的两端，应设刮雪或破冰装置。

八、采用摩擦圆筒连接牵引索时，圆筒的外径不得小于牵引索直径的 22 倍。牵引索的缠绕圈数，应按摩擦力不小于等速运行时牵引索最大拉力的 4 倍的条件确定；

九、采用末端套筒连接牵引索时，末端套筒在结构上应便于检查浇铸质量，其锥体长度应为牵引索直径的 5~7 倍，内部锥度应为 1:6~1:3，内部小端直径应为牵引索直径的 1.3 倍。

第 5.1.5 条 吊架的设计，应符合下列要求：

一、吊架头部的销轴，应使车厢在等速运行时保持垂直状态；

二、吊架的高度，应按客车在最大坡度处纵向摆动 35%时，车厢不得接触承载索或支架任何部位的条件确定；

三、运行速度大于 3.6m/s 和定员 16 人及以上的客车，吊架与运行小车之间，应设减摆装置；吊架上部应设带护栏的活动式或固定式检修台，并应设置工作梯；

四、吊架与车厢的连接处，应设减振装置。

第 5.1.6 条 车厢的设计，应符合下列要求:

一、空载客车在 200Pa 工作风压作用下，其横向摆动不得大于 20%。

二、乘客站着乘车时，车厢内净空高度不得小于 2m。

车厢地板的有效面积，应按下式计算:

$$A = 0.16n + 0.4 \qquad (5.1.5)$$

式中　A——车厢地板的有效面积 (m^2);

　　　n——客车定员。

三、车门应由站台工作人员在车厢外部开启和锁闭。

门锁、车门及其导轨，应耐振动和冲击。

四、车窗应采用耐碎裂的透明材料，其结构应能预防乘客发生意外事故。

五、乘客站着乘车时，车厢内应设拉杆和扶手。

六、车内应有客车定员与最大载重的标志牌。

七、车内应有通风设施。

八、定员 6 人及以上的车厢，顶部和地板上应设人孔；车内宜设照明；车外宜设标志灯。

九、车厢两侧的外部，应设导向装置。

十、配备辅助客车的索道，车厢的端部应便于与辅助客车配合工作。

第 5.1.7 条 客车制动器的设计，应符合下列要求:

一、客车定员 6 人及以上的单牵引索道，必须设置客车制动器。

双牵引索道可不设客车制动器。

二、出现下列情况之一时，客车制动器应自动投入制动，并应使客车停止在设计允许的制动距离内:

1. 牵引索或平衡索断裂时;

2. 牵引索或平衡索与客车的连接件断裂时;

3. 客车制动器控制系统的任何部件损坏时。

三、客车制动器的制动力及制动距离应适宜。

在长距离、高速度、定员多或倾角变化大的索道上，宜采用分级制动或自动调节制动力的客车制动器。

四、客车制动器投入制动时，驱动装置上的工作制动器应能自动投入制动。

五、当驱动装置以 $1.2m/s^2$ 减速度紧急制动时，牵引索或平衡索的最小拉力，应保证客车制动器不会产生误动作。

六、在客车制动器制动过程中，横向摆动为 20% 的客车，应能顺利通过支架或进入站房。

七、制动瓦应耐磨，但不得损伤承载索。

制动瓦磨损后，制动弹簧的最小工作载荷不得小于设计允许值。

八、客车制动器应能由乘务员直接操纵。

在线路任何位置上，乘务员既能使客车制动器制动，又能使客车制动器松开。

第二节　承载索与有关设备

第 5.2.1 条　承载索的选择与计算，应符合下列要求:

一、承载索应选用密封式钢丝绳，其公称抗拉强度不宜大于 2250MPa。

对于非营业性的小型索道，可选用多层股或多层异型股钢丝绳。

二、一个轨路的承载索，应由整根钢丝绳构成，不得采用线路套筒。

三、承载索的最小拉力，应同时符合下列公式的要求:

$$T_{min}/R \geqslant 80 \qquad (5.2.1-1)$$
$$T_{min}/Q \geqslant 12 \qquad (5.2.1-2)$$
$$F/R \geqslant 0.2 \qquad (5.2.1-3)$$

式中　T_{min}——承载索的最小拉力 (N);

R——一个车轮在承载索最小拉力处的最大轮压 (N);

Q——重车重力 (N);

F——承载索金属断面积 (mm^2)。

对于非营业性的小型索道，T_{min}/R 可为 60，T_{min}/Q 可为

8~10，*F* / *R* 可为 0.15。

四、承载索的最大拉力，应由下列各项组成：

1. 承载索拉紧重锤的重力。

2. 承载索在滚子链上或拉紧索在导向轮上的阻力。

3. 承载索在鞍座上的摩擦力。

承载索与尼龙或青铜衬鞍座之间的摩擦系数，密封式钢丝绳为 0.1，多层股或多层异型股钢丝绳为 0.15。

4. 由高差引起的承载索重力的分力。

五、承载索的安全系数，不得小于 3.5。

第 5.2.2 条 承载索的拉紧，应符合下列要求：

一、一般情况下，应采用重锤拉紧方式，经过技术经济论证和配备拉力调节装置后，可采用两端锚固方式。

二、承载索绕过滚子链或导向轮与重锤直接连接时，滚子链或导向轮的选择，应符合下列规定：

1. 滚子链的曲率半径，不得小于承载索直径的 90 倍和表层丝高度或直径的 800 倍。

非营业性小型索道滚子链的曲率半径，可为承载索直径的 60 倍和表层丝高度或直径的 530 倍。

2. 导向轮的直径，不得小于承载索直径的 150 倍和表层丝高度或直径的 1400 倍。

非营业性小型索道导向轮的直径，可为承载索直径的 130 倍和表层丝高度或直径的 1200 倍。

三、承载索通过拉紧索与重锤间接连接时，拉紧索及其有关设备的选择，应符合下列规定：

1. 应选用有蕨蕊的抗挤压的钢丝绳，其公称抗拉强度不宜高于 1960MPa；

2. 拉紧索的抗拉安全系数，不得小于 5.5；

3. 拉紧索与承载索之间的过渡套筒，应设防止其旋转和失效的安全装置；

4. 拉紧索导向轮的绳槽，应设软质耐磨衬垫；

5. 拉紧索导向轮的直径，应符合表 5.3.4 的规定。

第 5.2.3 条 夹块式锚具的设计，应符合下列要求：

一、夹块的数量，应按计算确定。

二、夹块的绳槽，宜设巴氏合金衬垫。

三、应采用一组夹块工作、另一组夹块备用的双重锚固方式。

两组夹块之间，应留出检查承载索是否滑动的观察缝。

第 5.2.4 条 圆筒式锚具的设计，应符合下列要求：

一、圆筒的直径，不得小于承载索直径的 65 倍和表层丝高度或直径的 600 倍。

二、圆筒应采用钢筋混凝土结构，其表面应衬硬木或硬质工程塑料。

三、承载索的缠绕圈数，应以 1.5 倍的最大拉力和 0.2 的摩擦系数计算确定。

当计算结果少于三圈时，承载索至少应缠绕三圈。

四、承载索的剩余拉力，应用三个夹块传递到支座上。

其中两个夹块工作，另一个夹块备用，并应留出检查承载索是否滑动的观察缝。

第 5.2.5 条 固定式鞍座的曲率半径，应符合下列要求：

一、客车通过的固定式鞍座，其曲率半径不得小于承载索直径的 300 倍和 $0.5v^2$，v 为客车通过该鞍座时的运行速度。

二、客车不通过的固定式鞍座，其曲率半径的选择应符合下列规定：

1. 承载索在鞍座上有倾角变化和轴向滑动时，不得小于承载索直径的 250 倍；

2. 承载索在鞍座上仅有倾角变化时，不得小于承载索直径的 200 倍；

3. 承载索在鞍座上既无倾角变化又无轴向滑动时，不得小于承载索直径的 65 倍和表层钢丝高度或直径的 600 倍。

三、非营业性小型索道固定式鞍座的曲率半径，可适当减小。

第三节　牵引索与有关设备

第 5.3.1 条　牵引索、平衡索和辅助索的选择，应符合下列要求：

一、应选用 6T（25）等线接触的同向捻钢丝绳，其公称抗拉强度不宜大于 2060MPa；

二、表层丝的直径，不得小于 1mm；

三、在腐蚀环境中工作的牵引索、平衡索和辅助索，应采用镀锌钢丝绳。

第 5.3.2 条　计算牵引索、平衡索和辅助索的抗拉安全系数时，应计入索道正常起动或正常制动时的惯性力。

牵引索、平衡索和辅助索的抗拉安全系数，不得小于下列规定：

一、单牵引索道的牵引索为 4.5。

二、双牵引索道的牵引索为 5.5。

其中一根牵引索断裂后，另一根牵引索未计入惯性力时为 3.0，计入惯性力时为 2.0。

三、平衡索为 4.5。

四、有极缠绕的辅助索为 4.5。

五、无极缠绕的辅助索，在运行时为 4.5，在停运时为 3.3。

第 5.3.3 条　牵引索、平衡索和辅助索的编接与拉紧，应符合下列要求：

一、采用平衡索的索道，其牵引索和平衡索均不得有编接接头；

二、无极缠绕的牵引索或辅助索，其编接接头不得超过两个；

三、平衡索和无极缠绕的索引索或辅助索，应采用重锤拉紧方式；

四、双牵引索道的每根平衡索，应采用单独的重锤分别拉紧。

第 5.3.4 条 导向轮和托索轮的设计，应符合下列要求：

一、导向轮和托索轮的绳槽，应设软质耐磨衬垫；

二、导向轮的直径应符合表 5.3.4 的规定；

导向轮的直径　　　　　　　　　　　表 5.3.4

导 向 轮 向 名 称		导向轮直径与钢丝绳直径之比	导向轮直径与钢丝绳表层丝径之比
牵引索、平衡索或承载牵引索导向轮	包角 5~10°	40	400
	包角 11~20°	50	500
	包角大于 20°	80	800
有极缠绕的辅助索导向轮		30	300
无极缠绕的辅助索导向轮		60	600
经常运动的拉紧索导向轮		50	750

三、托索轮的直径，不得小于牵引索直径的 12 倍和辅助索直径的 10 倍；

四、牵引索或平衡索在每个托索轮上的折角和比压，不得大于 4°30′和 0.4MPa。

第四节　牵引计算与驱动装置选择

第 5.4.1 条 牵引计算时，应求出下列成果：

一、等速运行时各特征点的牵引索和平衡索的拉力；

二、索道正常起动或正常制动时的惯性力；

三、驱动轮上牵引索的最大拉力之和；

四、驱动轮在下列载荷情况下的圆周力；

1. 重车上行、空车下行；

2. 空车上行、重车下行；

3. 重车上行、重车下行；

4. 空车上行、空车下行。

第 5.4.2 条 牵引计算时，应采用下列阻力系数：

一、有衬车轮的客车为 0.02;

二、有衬托索轮组为 0.03;

三、带滚动轴承的导向轮为 0.003;带滑动轴承的导向轮为 0.01;

四、拉紧小车为 0.01。

第 5.4.3 条 驱动装置的选择,应符合下列要求:

一、驱动装置应有主原动机和备用原动机。

主原动机应为电动机。主原动机工作时,索道的运行速度应能广泛调节,并应具有 0.3~0.5m/s 的检修速度。

备用原动机应为内燃机或电动机。备用原动机工作时.索道应具有较低的运行速度。

辅助索的驱动装置,可不设置备用原动机。

非营业性的小型索道可不设置备用原动机,但应设置低速收回客车的手动装置。

二、双牵引索道的驱动装置,应设机械差动或电气平衡装置。

运行速度 3m/s 及以下的小型双牵引索道,可不设机械差动或电气平衡装置。

三、驱动装置应设下列安全装置:

1. 速度显示装置;

2. 两套不同结构的减速信号发送装置;

3. 减速监控装置;

4. 超速监控装置;

5. 客车位置显示装置;

6. 双牵引索道应增设差速和差长监控装置。

四、驱动装置的抗滑性能,应按下式计算:

$$\frac{t_2(e\mu\alpha - 1)}{t_1 - t_2} \geq 1.25 \tag{5.4.9}$$

式中 t_2——在最不利的载荷情况下,包括起动惯性力在内的驱动轮出侧或入侧牵引索的最大拉力(N);

t_2——在最不利的载荷情况下，包括起动惯性力在内的驱动轮出侧或入侧牵引索的最小拉力(N)；

μ——牵引索与驱动轮衬垫的粘着系数；

α——牵引索与驱动轮上的包角 (Rad)。

五、驱动轮的直径，不得小于牵引索直径的 80 倍和表层丝直径的 800 倍。

辅助索驱动轮的直径，有极缠绕时不得小于辅助索直径的 30 倍和表层钢丝直径的 300 倍，无极缠绕时不得小于辅助索直径的 60 倍和钢丝直径的 600 倍。

六、驱动轮衬垫的比压，应符合本规范第 3.4.4 条第四款的规定。

第 5.4.4 条 驱动装置制动器的选择，应符合下列要求：

一、应设两套或两套以上的不同结构的制动器，其中工作制动器应设在高速轴上，安全制动器应设在低速轴或驱动轮上。

没有负力并且不会倒转的小型索道或辅助索的驱动装置，可仅设工作制动器。

二、工作制动器与安全制动器，不得在同一瞬间一起投入工作。

三、当空车上行，重车下行时，工作制动器的平均制动减速度，不得小于 $0.6 \text{m}/\text{s}^2$。

四、当重车上行、空车下行时，工作制动器的制动减速度不得大于 $1.5 \text{m}/\text{s}^2$，否则工作制动器应采用制动力控制、制动力调节或分级制动的方式。

当采用制动力控制时，空车上行、空车下行时的制动减速度，不得大于 $1.5 \text{m}/\text{s}^2$。

五、当重车上行、空车下行、工作制动器尚未投入工作和停车减速度已大于 $1.5 \text{m}/\text{s}^2$ 时，必须采用电气停车方式。

六、安全制动器应有自动投入和人工操纵两种控制方式。

第五节 线 路 设 计

第 5.5.1 条 承载索在支架鞍座上的靠贴条件，应符合下列要求：

一、当支架相邻跨距内没有客车时，承载索在支架上的最小压力与索道停运时最大水平风力的合力，必须作用在鞍座的绳槽内；

二、当支架相邻跨距内没有客车、承载索最大拉力增大40%或承载索承受 500Pa 的向上风压时，承载索在鞍座绳槽上的压力不得为负值。

第 5.5.2 条 牵引索在支架托索轮组上的靠贴条件，应符合下列要求：

一、当相邻跨距内没有客车、牵引索等速运行时，牵引索在支架托索轮组上的最小压力，不得小于牵引索承受 $375P_a$ 风压的向上的风力；

二、当等速运行的牵引索的最大拉力增大 40% 或驱动装置制动器以 $1.2m / s^2$ 减速度制动时，牵引索在支架托索轮组上的压力不得为负值；

三、当索道停运时，牵引索在支架托索轮组上的最小压力，不得小于牵引索承受索道停运风压的向上风力。

第六节 站 房 设 计

第 5.6.1 条 站房的设计，应符合下列要求：

一、站内的设备、钢丝绳和客车进出处，不得影响乘客和工作人员的安全。

二、驱动装置应设在隔离噪声、防止非工作人员入内的封闭机房内。

三、控制室应设在司机可以看到索道线路、客车进出站和乘客上下车的站台后部的正上方。

控制室应封闭和隔音。当气候条件需要时应设去湿、降温或采暖设施。

四、乘客进、出站的通道不得互相干扰，亦不得与客车运行线路交叉。

第 5.6.2 条　站台的设计，应符合下列要求：

一、站台的地坪，应水平。

二、客车的出、入口处和站台内，应设导向装置。

站台内导向装置与客车之间的间隙，不得大于 50mm。

三、站台边缘的悬空处，应设高度不小于 1.1m、强度能承受 1kN／m 水平载荷的护栏。

四、站台上、下车处的护栏，客车离站后应能封闭。

第 5.6.3 条　重锤间的设计，应符合下列要求：

一、重锤间应封闭或设护栏。

二、重锤间的有效高度，应使重锤在索道运行过程中始终保持悬空状态。

三、重锤间或重锤井应便于检查与维护，并应防止水、冰、雪或其他杂物进入。

深重锤井应有防水或排水设施。

四、承载索重锤应设上、下限位开关。

五、平衡索重锤除应设置上、下限位开关外，尚应设置牵引索断裂时防止重锤冲击地面的尖劈式缓冲装置。

第七节　电 气 设 计

第 5.7.1 条　外部的供电，应符合下列要求：

一、宜采用两个独立的电源供电。

其中一个电源发生故障时，应及时接通另一电源。

二、仅有一个电源的地区，应配备低速收回客车的内燃机或内燃发电机组。

非营业性的小型索道，可不配备内燃机或内燃发电机组。

第 5.7.2 条　电气的传动，应符合下列要求：

一、运行速度高于 3.6m／s 的索道，其主传动宜采用直流传动。

辅助索的驱动装置，其主传动应采用交流传动。

二、索道的备用传动，应采用交流或内燃机传动。

第 5.7.3 条　电气的控制，应符合下列要求：

一、运行速度高于 3.6m／s 索道，宜采用自动控制运行方式。

自动控制运行方式，应使索道按设计给定的速度图运行。当载荷变化时，速度图中等速段的速度变化，不得大于 5%。

采用自动控制运行方式的索道，应同时具备半自动及手动控制运行方式。

二、在客车内进行遥控的索道，支架上除承载索外的钢丝绳，应通过控制电路对断绳、接地和互相接触进行监控。

在客车内进行遥控的双牵引索道，不应监控两根牵引索或两根平衡索之间的互相接触，但应监控每根钢丝绳的断绳和接地。

三、电控系统的设计，尚应符合本规范第 5.1.7 条和第 5.4.3 条的有关规定。

第 5.7.4 条　站台、机房、控制室、瞭望台和需要乘务员遥控的客车，应设事故停车按钮。

第 5.7.5 条　出现下列故障之一时，索道应自动停车，并应在控制台或控制柜上显示出故障部位：

一、减速点或减速度不符合速度图规定；

二、运行速度超过 15%；

三、客车超越停车位置；

四、客车制动器投入制动；

五、单牵引索道的牵引索或平衡索拉力异常或断裂；

六、双牵引索道牵引索的差速或差长超过规定值；

七、承载索或牵引索重锤超越上、下极限位置；

八、驱动装置制动系统或润滑系统的油压、油位、油温等异常；

九、电气装置的常规保护发出故障信号时；

十、本规范第 5.7.3～5.7.4 条的监控装置或停车按钮动作时。

第 5.7.6 条 通信设计应符合下列要求：

一、各站房之间以及站台、机房、瞭望台、配电室、发电间与控制室之间，应设专用直通电话。

至少有一个站房应设当地公用电话。

二、客车、站台、瞭望台与控制室之间，应设无线电话。

三、索道应在两个站台均发出开车信号后才进行起动。

四、当客车开始减速时，应发出客车接近站台的指示信号。

五、建在大风地区的索道，应设电传风向风速仪。

六、电话和信号索应采用镀锌钢丝绳，其抗拉安全系数不得小于 3.3。

第 5.7.7 条 照明的设计，应符合下列要求：

一、各站房应设电气照明和采用其他能源的事故照明系统。

二、夜间运行的营业性索道，站口应设投光灯，客车上应设标志灯和车内照明，线路上宜设适当的照明。

夜间运行的非营业性索道，照明系统可适当简化

第 5.7.8 条 防雷与接地的设计，应符合下列要求：

一、站房应设避雷装置。

建在雷击地区的索道，应设有效的防雷设施。

二、在客车内进行遥控的索道，除承载索外，其他钢丝绳必须对地绝缘。但承载索、支架、站房和站内金属构件必须接地。对地绝缘的钢丝绳应能根据需要临时接地。

其他索道的各种钢丝绳、支架、站房和站内金属构件，必须接地。

钢丝绳、站房和站内金属构件的接地电阻不得大于 4Ω，支架的接地电阻不得大于 30Ω。

第八节 营 救 设 施

第 5.8.1 条 垂直的营救，应符合下列要求：

一、垂直营救应采用缓降器；

二、客车的离地高度不宜大于100m；

三、客车上不配备乘务员的索道，应配备营救人员从站房或支架上进入客车的自溜装置；

四、索道沿线在全年内的地面条件，应便于乘客步行回到站房。

第 5.8.2 条　水平营救应符合下列要求：

一、单牵引索道应设辅助索营救系统；

二、双牵引索道应采取减轻平衡索重锤等安全措施，利用另一根牵引索将客车低速拉回站内。

第 5.8.3 条　营救工作应由经过训练的兼职营救人员担任，不应要求乘客积极协助。

整个营救过程不宜超过三小时。

第六章 单线循环式客运索道工程设计

第一节 客 车

第 6.1.1 条 每个乘客的计算载荷,应符合下列规定:

一、客车定员为 1~4 人时,每个乘客应为 740N。

客车定员 6~8 人时,每个乘客应为 690N。

二、对于滑雪或登山运动专用索道,每个乘客的计算载荷,尚应增加 100N。

第 6.1.2 条 客车的计算,应符合下列要求:

一、客车的主要载荷,应为空车重力和乘客的计算载荷。

次要载荷应为风载荷、制动惯性力和客车通过导向装置的摩擦阻力。

二、按主要载荷计算时,客车主要承载构件和重要部件的安全系数,不得小于 5。

在主要载荷和次要载荷联合作用下,特别是在承受扭转和疲劳载荷时,各主要承载构件和重要部件,应校核其强度和刚度。

第 6.1.3 条 抱索器的设计,应符合下列要求:

一、客车在线路上运行时,抱索器不得脱开承载牵引索或在承载牵引索上滑动。

二、单钳口抱索器的抗滑力,不得小于重车的重力和重车在最大坡度处斜面分力的 3 倍。

双钳口抱索器应有两个独立的抗滑力。任一钳口的抗滑力,不得小于重车重力的 0.5 倍和重车在最大坡度处斜面分力的 1.5 倍。

三、钳口与经过润滑的承载牵引索之间的摩擦系数应为 0.13。

特殊设计的钳口，经过试验与鉴定后，可采用较高的摩擦系数。

四、钳口的形状与尺寸，应与托、压索轮组的轮槽相适应。客车横向摆动 35% 时，抱索器应能顺利通过托、压索轮组。

五、钳口的端部应充分倒角，端部的内、外棱角应修圆。

六、固定式抱索器应能顺利通过驱动轮和拉紧轮，迂回时所产生的水平折角不得大于 9°。

七、固定式抱索器应定期改变其夹紧位置。

每次改变的距离，单钳口固定式抱索器不得小于承载牵引索直径的 15 倍，双钳口固定式抱索器不得小于承载牵引索直径的 30 倍。

每次改变的运行间隔时间，应按下式计算：

$$\tau = 0.56 \frac{l'}{v} \tag{6.1.3}$$

式中　τ——改变夹紧位置的运行间隔时间 (h)；

　　　l'——索道斜距 (m)；

　　　v——客车运行速度 (m／s)。

八、活动式抱索器应有在运行中测定其夹紧力的机构。

九、活动式抱索器的车轮和鹰咀，其材料宜采用减振和吸音的增强尼龙。

第 6.1.4 条　吊椅的设计，应符合下列要求：

一、吊杆或吊架的高度，应按吊椅在最大坡度处纵、横向摆动 35% 时，顶蓬、座椅或乘客伸出的手部，不得接触承载牵引索或支架任何部位的条件确定。

二、座椅的有效宽度，单人吊椅不得小于 500mm；双人吊椅不得小于 950mm；三人吊椅不得小于 1380mm；四人吊椅不得小于 1800mm。

三、椅面和靠背应向后倾斜。

座椅两侧应设高出椅面 250～300mm 的护栏。

四、吊椅应设活动式安全扶手与踏板。

安全扶手与踏板应联动，并应便于乘客上、下车。

五、采用活动式抱索器的吊椅，吊杆或吊架与座椅的连接处，应设减振装置。

第 6.1.5 条 吊舱的设计，应符合下列要求：

一、吊杆或吊架的高度，应按吊舱在最大坡度处纵、横向摆动35%时，车厢不得接触承载牵引索或支架任何部位的条件确定。

二、吊杆或吊架与车厢的连接处，应设减振装置。

三、车内座位的有效宽度，双人吊舱不得小于 500mm；四人吊舱不得小于 950mm；六人吊舱不得小于 1380mm；八人吊舱不得小于 1800mm。

四、车厢的承载结构，宜采用铝合金。

座椅、内外蒙皮和其他围护结构，应采用轻质材料。

五、车窗应采用耐碎裂的透明材料，其结构应能预防乘客发生意外事故。

六、车门应设自动开关机构。

七、车内应有通风设施。

八、吊杆的中部或车厢两侧的外部，应设导向滚轮或导向立杆。

第 6.1.6 条 客车的最小发车间隔时间，不得小于表 6.1.6的规定。

客车的最小发车间隔时间 (s)　　　　　表 6.1.6

乘客类型 索道型式	普通乘客	滑雪运动员
固定抱索单人吊椅索道	运行速度的三倍，但不小于 5	4
固定抱索双经吊椅索道	同时上下车时为运动速度的四倍但不小于 8 先后上下车时这运行速度的六倍，但不小于 10	7
固定抱索双人吊舱索道	10	—
拖牵索道	—	5
活动抱索吊舱或吊椅索道	最长制动时间的 1.5 倍。	

第二节 承载牵引索与有关设备

第 6.2.1 条 承载牵引索的选择，应符合下列要求：

一、应选用 6T（25）、6XW（16）等线接触的同向捻钢丝绳，其公称抗拉强度不宜大于 2060MP$_a$；

二、表层丝的直径，不得小于 1.5mm；

三、在腐蚀环境中工作的承载牵引索，应采用镀锌钢丝绳。

第 6.2.2 条 承载牵引索的抗拉安全系数，不得小于 5。

计算抗拉安全系数时，不应计入索道正常起动或正常制动时的惯性力。

第 6.2.3 条 承载牵引索的编接与拉紧，应符合下列要求：

一、无极缠绕的承载牵引索，其编接接头不得超过两个。

在生产过程中经过修理的承载牵引索，其编接接头可再增加一个。

二、承载牵引索应采用重锤拉紧方式。

三、承载牵引索的拉紧索，宜采用四绳拉紧方式，并宜设置调节重锤位置的电动或手动绞车。

四、承载牵引索的拉紧索，应选用 6T（25）或 8X（19）线接触的同向捻钢丝绳，其公称抗拉强度不宜大于 2060MP$_a$。

五、承载牵引索的拉紧索，其抗拉安全系数不得小于 5.5。

六、承载牵引索的拉紧索，其导向轮的绳槽应设软质耐磨衬垫。

导向轮的直径，不得小于拉紧索直径的 40 倍和表层丝直径的 600 倍。

第 6.2.4 条 拉紧轮的设计，应符合下列要求：

一、采用固定式抱索器时，拉紧轮的直径不得小于承载牵引索直径的 100 倍和表层丝直径的 1000 倍。

采用活动式抱索器时，拉紧轮的直径不得小于承载牵引索直径的 80 倍和表层丝直径的 800 倍。

二、拉紧轮绳槽应设软质耐磨衬垫。

三、采用固定式抱索器时，拉紧轮的轮缘和护圈，应与客车的抱索器和吊杆相适应。

第 6.2.5 条　导向轮的设计，应符合本规范第 5.3.4 条的规定。

第三节　牵引计算与驱动装置选择

第 6.3.1 条　牵引计算时，应求出下列成果:

一、等速运行时各特征点的承载牵引索的拉力;

二、索道正常起动或正常制动时的惯性力;

三、驱动轮上承载牵引索的最大拉力之和;

四、驱动轮在下列载荷情况下的圆周力;

1. 重车上行、空下下行;

2. 空车上行、重车下行;

3. 重车上行、重车下行;

4. 空车上行、空车下行;

5. 空索运行时;

6. 低速反转时。

第 6.3.2 条　牵引计算时，承载牵引索在有衬托、压索轮组上的阻力系数应为 0.035。

第 6.3.3 条　承载牵引索的最小拉力，应符合下列要求:

一、当采用单钳口抱索器时，承载牵引索的最小拉力不得小于重车重力的 20 倍，重车重力与承载牵引索的金属断面积之比不得大于 7.8MPa。

对于拖牵索道，承载牵引索的最小拉力可为重车重力的 15 倍。

二、当双钳口抱索器的钳口中心距等于或大于承载牵引索直径的 15 倍时，承载牵引索的最小拉力不得小于重车重力的 12 倍。

当钳口中心距小于承载牵引索直径的 15 倍时，双钳口抱索器应视为单钳口抱索器。

第 6.3.4 条 驱动装置的选择，应符合下列要求：

一、应选用单槽卧式驱动装置。

二、驱动装置应设主原动机和备用原动机。

主原动机应为电动机，备用原动机应为内燃机或电动机。备用原动机工作时，索道应具有与 03~0.5m／s 检修速度相近的运行速度。

拖牵索道、非营业性的小型索道和长度较小吊椅索道，可不设备用原动机，但应设低速收回客车的手动装置。

三、当采用固定式抱索器时，驱动轮的直径不得小于承载牵引索直径的 100 倍和表层丝直径的 1000 倍。

当采用活动式抱索器时，驱动轮的直径不得小于承载牵引索直径的 80 倍和表层丝直径的 800 倍。

四、驱动轮的绳槽应设软质耐磨衬垫。

五、当采用固定式抱索器时，驱动轮的轮缘和护圈，应与客车的抱索器和吊杆相适应。

六、驱动轮衬垫的比压，应符合本规范第 3.4.4 条第四款的规定。

七、驱动装置的抗滑性能，应符合本规范第 5.4.3 条第四款的规定。

八、驱动装置应设两套不同结构的制动器，其中工作制动器应设在高速轴上，安全制动器应设在驱动轮上。

拖牵索道和没有负力并且不会倒转的索道，可仅设工作制动器。

九、当空车上行、重车下行时，工作制动器的平均制动减速度，不得小于 0.3m／s²。

十、当重车上行、空车下行时，工作制动器的制动减速度不得大于 1.5m／s²，否则工作制动器应采用制动力控制、制动力调节或分级制动的方式。

十一、当重车上行、空车下行、工作制动器尚未投入工作和停车减速度已大于 1.5m／s^2 时，必须采用电气停车方式。

当采用电气停车方式时，停车减速度不得大于 1m／s^2。

十二、工作制动器与安全制动器，不得在同一瞬间一起投入工作。

第四节　线路设计

第 6.4.1 条　吊椅、吊篮和吊舱索道承载牵引索在支架上的靠贴条件，应符合下列要求：

一、承载牵引索在每个托索轮上的靠贴力，不得小于 500N。

二、承载牵引索在每个托索式支架上的靠贴力（N），不得小于该支架相邻跨距之和（m）的 10 倍。

当相邻跨距之和小于 200m 时，靠贴力不得小于 2000N。

三、弦折角为负值的托索式支架，当相邻跨距内没有客车和承载牵引索的拉力增大 40% 时，承载牵引索不得离开托索轮组。

四、对于压索式支架，当索道以 1.5m／s^2 减速度进行制动和承载牵引索出现最小拉力时，承载牵引索在该支架上的靠贴力，不得小于一辆有效载荷加倍的客车的重力。

第 6.4.2 条　拖牵索道承牵引索在支架上的靠贴条件，应符合下列要求：

一、承载牵引索在每个托索轮上的靠贴力，不得小于 300N；

二、承载牵引索在每个压索轮上的靠贴力，不得小于 500N；

三、承载牵引索在每个支架上的靠贴力（N），不得小于该支架相邻跨距之和（m）的 8 倍。

第 6.4.3 条　支架的配置，应符合下列要求：

一、采用活动式抱索器的索道，站前第一跨的跨距宜为 5～10m。

站前第一跨的承载牵引索，应导平。

二、应减少压索式支架的数量。

三、承载牵引索在支架上的重索倾角，不得大于 100%。

拖牵索道承载牵引索在支架上的重索倾角，不得大于 50%。

第 6.4.4 条 客车底面的离地高度，应符合下列要求：

一、吊架不得大于 8m；

二、吊篮不得大于 15m；

三、吊舱不得大于 25m；

四、如果增大局部地段的离地高度可以改善线路设计，并且局部地段的总长不超过索道长度的 10%时，吊椅可为 15m，吊篮可为 30m，吊舱可为 50m。

第五节 线 路 设 备

第 6.5.1 条 托索轮组和压索轮组的设计，应符合下列要

一、托索轮和压索轮的直径，不得小于承载牵引索直径的 12 倍。

二、托索轮和压索轮的轮槽，应设软质耐磨衬垫。

三、托索轮和压索轮的轮体及轮缘挡板，应采用铝合金。

四、每个有衬托索轮的允许径向载荷，应按下式计算：

$$〔P〕 = PDd \qquad (6.5.1)$$

式中　〔P〕——每个有衬托索轮的允许径向载荷（N）；

　　　　P——软质耐磨衬垫的比压，$P = 0.2 \sim 0.5$MPa，根据衬垫的耐磨性确定；

　　　　D——托索轮衬垫绳槽底部的直径（mm）；

　　　　d——承载牵引索直径（mm）。

五、承载牵引索在每个托索轮或压索轮上的允许折角，应按允许径向载荷和承载牵引索拉力计算决定，但在任何情况下不得大于 4°。

六、应选用悬吊安装的可调式托索轮组或压索轮组。

第 6.5.2 条 托索轮组和压索轮组上，应设下列安全装置：

一、托索轮组和压索轮组两端的内侧，应设防止承载牵引索跳内线的挡索板，挡索板的两端应有喇叭口。

二、托索轮组和压索轮组两端的外侧，应设防止承载牵引索跳外线的捕索器，捕索器工作面的棱角应修圆。

三、托索轮组的两端，应设承载牵引索偏离绳槽后索道自动停车的线路监控装置。

拖牵索道可根据需要确定是否设置。

四、在大风地区，托索轮组的两端，宜设防止承载牵引索偏离托索轮轮槽的防偏装置。

第六节 站房设计

第 6.6.1 条 站房的设计，应符合下列要求：

一、拖牵索道应采用无站房的露天站台结构。

二、吊椅和吊篮索道宜采用无外墙的敞开式站房结构。

三、吊舱索道宜采用单层轻型站房结构。

承载牵引索的水平拉力，宜用站内支座或基础直接承受。

四、站内的设备、钢丝绳和客车进出处，不得影响乘客和工作人员的安全。

五、乘客进、出站的通道不得互相干扰，并不得与客车运行线路交叉。

六、采用活动式抱索器的索道，其控制室应设在靠近挂结器的站房外侧。

控制室应封闭和隔音。当气候条件需要时应设去湿、降温或采暖设施。

七、采用活动式抱索器的索道，应设下列站内设备：

1. 带加速装置的挂结器和带减速装置的脱开器；

2. 推车机；

3. 客车开、关门装置；

4. 运输能力较大时，宜设排车发车机。

八、 采用活动式抱索器的索道，应设下列安全装置：

1. 抱索状态监控装置；

2. 抱索力量监控装置；

3. 脱索状态监控装置；

4. 钢绳位置监控装置。

九、采用活动式抱索器的索道，脱开器之后的轨道，应留有客车制动时所需的长度。

十、采用活动式抱索器的索道，应设存放客车的副轨。

两个端站主轨和副轨的总长，应能存放本索道的全部客车。

第 6.6.2 条 采用固定式抱索器的索道，其站台设计应符合下列要求：

一、 拖牵索道上车站台的长度（m），不得小于运行速度（m／s）的 2.5 倍。下车站台的长度不得小于运行速度的 3 倍。

上车站台的坡度应缓慢增大，并与站台上方的承载牵引索的坡度相适应。

下车站台的后部，应设闭锁装置。

二、单人吊椅索道上、下车站台的长度，不得小于运行速度的 4 倍。

双人吊椅索道上、下车站台的长度，同时上、下车时不得小于运行速度的 5 倍，先后上、下车时不得小于运行速度的 7 倍。

上、下车站台的地坪宜水平。如有纵向坡度，其值不得大于10%。

下车站台的前方，应设通知乘客打开安全扶手准备下车的显著标志。

第七节 电 气 设 计

第 6.7.1 条 外部的供电，应符合下列要求：

一、宜采用两个独立的电源供电。

其中一个电源发生故障时，应能及时接通另一电源。

二、仅有一个电源的地区，应配备低速收回全部客车的内燃机或内燃发电机组。

拖牵索道、非营业性的小型索道和长度较小的吊椅索道，可不配备内燃机或内燃发电机组。

第 6.7.2 条　站台和控制室必须设置事故停车按钮。

第 6.7.3 条　电气的控制，应符合下列要求：

一、当载荷变化时，承载牵引索运行速度的变化不得大于5%。

二、出现下列故障之一时，索道应能自动停车，并应在控制台上显示出故障部位：

1. 站口或线路监控装置动作时；

2. 运行速度超过 15%；

3. 拉紧小车或拉紧重锤超越上、下极限位置；

4. 驱动装置制动系统或润滑系统的油压、油位、油温等异常；

5. 电气装置的常规保护发出故障信号时；

6. 事故停车按钮动作时。

三、采用自动控制运行方式的索道，应同时具备半自动及手动控制运行方式。

第 6.7.4 条　通信、照明、防雷和接地设计应符合下列要求：

一、各站房之间应设专用直通电话。

至少有一个站房应设当地公用电话。

二、各站房之间应设无线电话。

三、站房及部分支架宜设广播扩音系统。

四、建在大风地区的索道，应设电传风向风速仪。

五、各站房应设电气照明和采用其他能源的事故照明系统。

六、夜间运行的营业性索道，站口应设投光灯，线路上宜设适当的照明。

夜间运行的非营业性索道，照明系统可适当简化。

七、站房应设避雷装置。

建在雷击地区的索道，应设有效的防雷设施。

八、承载牵引索、支架、站房和站内金属构件必须接地。

承载牵引索、站房和站内金属构件的接地电阻不得大于4Ω，支架的接地电阻不得大于30Ω。

第八节 营 救 设 施

第 6.8.1 条 垂直的营救，应符合下列要求:

一、客车离地高度较大的吊舱或吊篮索道，应采用垂直营救方式;

二、垂直营救应采用由地面营救人员操作的缓降器;

三、应配备营救人员从支架上进入吊舱或吊监的自溜装置;

四、索道沿线在全年内的地面条件，应便于乘客步行回到站房。

第 6.8.2 条 水平的营救，应符合下列要求:

一、客车离地高度较小的吊椅索道，宜采用水平营救方式。

二、水平营救时，拉紧小车应向驱动装置方向移动，其行程应使大部分吊椅降落地面。

未降落地面的少数吊椅，应采用软梯等营救工具。

三、应配备营救人员从支架上进入吊椅的自溜装置。

第 6.8.3 条 营救工作应由经过训练的兼职营救人员担任，不应要求乘客积极协助。

整个营救过程不宜超过三小时。

第七章 索道工程施工

第一节 一般规定

第 7.1.1 条 索道安装工程的施工，应具备下列技术文件：

一、索道设计说明书、施工图、概预算文件、设备材料清单以及其他设计文件。

二、机电设备产品合格证，包括各种驱动装置的试车合格证。

对于客运索道，应有单项设备产品合格证和关键设备试车合格证。

三、钢结构产品合格证或现场制作单位的证明文件，包括焊缝检查记录和预组装合格证。

四、钢丝绳产品合格证。

五、站房各安装处和隐蔽工程各接口处的实测图纸。

六、标有各测量桩点实测位置与实测标高的测量资料，包括绘有位置简图的水准点和控制点一览表。

第 7.1.2 条 施工单位应根据索道工程的复杂程度，编制施工组织设计或施工方案。

第 7.1.3 条 在安装工程开始前，施工单位应参加索道土建部分的验收。

在验收站房和支架基础时，应特别检查各预埋件和各预埋螺栓埋设部分的中间验收记录和露出部分的施工质量。

各预埋螺栓应配有垫圈、螺母和防松螺母，螺纹部分应涂油脂并加以保护。

第 7.1.4 条 钢筋混凝土站房的允许偏差，应符合表 7.1.4

的规定。

钢筋混凝土站房允许偏差　　　　表 7.1.4

项次	项　　目	允许偏差
1.	站房纵向中心线对索道中心线的偏移	20mm
2.	站口横向中心线对设计中心线的偏移	20mm
3.	预埋螺栓组中心线对设计中心线的偏移	5mm
4.	一组预埋螺栓之间的距离	±2mm
5.	预埋螺栓顶端的标高	
	顶端朝下时	−20mm
	顶端朝上时	+20mm
6.	预埋件的标高	±20mm
7.	横梁下弦安装处的标高	+10mm
8.	楼板顶面安装处的标高	−10mm
9.	站房地面的标高	+10mm
		−30mm

第 7.1.5 条 钢结构基础的允许偏差，应符合表 7.1.5 的规定。

钢结构基础允许偏差　　　　表 7.1.5

项次	项　　目	允许偏差
1	钢支架或钢站房基础纵向中心线对索道中心线的偏移（按相邻跨距中的较小跨距计算）	0.0005l 但不得大于 50mm
2	钢支架或钢站房基础纵向中心线对索道中心线的偏斜	1∶1000
3	相邻支架或站房与最近支架的基础横向中心线之间的跨距	0.001l 但不得大于 100mm
4	同一钢支架或钢站房其分离基础中心线之间的距离	±10mm
5	钢支架或钢站房基础顶面的标高	跨距和 200m 以内时允差 50mm，跨距和每增加 100m 允差增加 10mm

项次	项　　　　目	允许偏差
6	同一钢支架或钢站房其分离基础顶面之差或不同标高分离基础顶面之间的高差	10mm
7	与钢筋混凝土站房直接联接的钢站房基础顶面的标高	±10mm
8	保护网钢丝绳锚固基础的标高	±50mm
9	无抹面的基础顶面对设计平面的倾斜度	1:1000
10	倾斜预埋的螺栓、锚杆或框架对设计平面的倾斜度	17:1000
11	预埋螺栓组中心线对设计中心线的偏移	5mm
12	一组预埋地脚螺栓之间的距离	
	无调整穴时	±2mm
	有调整穴时	±5mm
13	地脚螺栓的露头高度(应扣除抹面层的厚度)	+20mm

第 7.1.6 条　钢结构的运输与堆存，应符合下列要求：

一、钢结构预组装合格后，应分解成便于运输的独立构件。

各构件应涂以底漆并进行编号，其附件及联接零件等单独进行标记。

用直升机吊装的构件，尚应标明构件的质量、质心位置和定位标记。

二、钢结构在装、卸车和二次搬运时，应防止产生永久性变形。

三、除联接零件和某些附件外，钢结构可堆存在露天场地上，但堆存时不得接触地面。

各构件应稳固地堆存在垫块上，堆层的高度不得超过1.5m。

桁架应直立堆存，各构件上不应积水。

四、在安装钢结构前，应检查并消除运输与堆存过程中可能产生的变形或缺陷。

第 7.1.7 条　钢丝绳的检查与保管，应符合下列要求：

一、钢丝绳运到指定地点后，应核对钢丝绳铭牌与钢丝绳产品合格证是否一致，是否符合设备材料清单中的有关要求。

二、对钢丝绳进行外观检查时，如发现绳盘损伤、包装损坏、钢丝锈蚀或其他缺陷，应会同有关方面进行详细检查并采取有效措施，否则不得交付安装。

三、钢丝绳应保管在材料库内。

施工过程沿线存放时，绳盘应稳固地支承在垫块上，距离地面不得小于0.2m，绳盘上应复盖防护物。

第 7.1.8 条 机械设备的检查与安装，应符合下列要求：

一、在运输与保管过程中不能防止灰尘或杂物进入运动部位的机械设备，在安装前应进行解体检查和二次清洗，必要时应重新更换全部润滑剂。

二、所有的机械设备，应检查是否按设计配备了地脚螺栓、垫圈、螺母和防松装置。

三、循环式索道的货车、客车、挂结器和脱开器，在安装前应采用专用检查工具逐一检查，不合格的不得交付安装。

四、所有的机械设备，其螺栓联接应接触紧密、联接牢固、防松可靠、外露螺纹不得小于2~3牙。

对于高速、重载、振动较大或特别重要的螺栓联接，应按设计或采用比普通弹簧垫圈更为可靠的防松装置。

五、机械设备安装后，应保证转动或滑动部件润滑充分、密封良好、间隙合适、紧固可靠、无碰刮、无卡阻和转动或滑动灵活。

各种滚轮、托索轮、压索轮和客、货车的车轮，应能用手轻快转动。其他设备的转动部分，应能用手直接转动。

六、机械设备通用部分的安装，应按现行的《机械设备安装工程施工及验收规范》或设备技术文件的规定执行。

第 7.1.9 条 电气装置的检查、保管和安装，应按现行的《电气装置安装工程施工及验收规范》的规定执行。

第二节 钢结构安装

第 7.2.1 条 采用精制螺栓联接的钢结构，应在制造场地进行预组装，并应具有预组装合格证。

当钢结构进行批量生产、制造精度得到保证且经过施工验证时，可不进行预组装。

第 7.2.2 条 钢结构的除锈、除垢、矫正、加固、更换杆件、修补焊缝、清理钻孔、检查螺栓联接质量等工作，应于起吊前在地面上进行。

第 7.2.3 条 钢结构起吊前，必须检查地脚螺栓孔和地脚螺栓的实际尺寸。偏差超过允许值时，应重新开孔或校正地脚螺栓的位置。

第 7.2.4 条 钢结构各单独构件和各零散部件，宜采用扩大拼装和综合安装的方法进行施工。

第 7.2.5 条 永久性的普通螺栓，应接触紧密、联接牢固、防松可靠、外露螺纹不得小于 2～3 牙。

各种型式的高强度螺栓，应按有关规程进行施工。

第 7.2.6 条 钢结构底板与基础面之间，金属垫板的斜度不得大于 1:20，每叠垫板不得超过三块，校正完毕应将垫板与钢结构底板焊在一起，防止二次灌浆时垫板移动。

第 7.2.7 条 整体吊装钢结构时，应符合下列要求：

一、钢结构必须设置防止倾复的后拉索和侧拉索；

二、钢结构就位前，基础四角每一组地脚螺栓中，应预先拧上一个螺母，以便调整钢结构的垂直偏差；

三、基础顶面应设垫块，垫块顶面应高出地脚螺栓顶端 50mm，钢结构就位时应仔细一一拆除；

四、钢结构底板上的地脚螺栓孔，当尺寸不符时可进行气割，但应焊以合适的垫板，保证螺母接触紧密并受力均匀。

第 7.2.8 条 分段吊装钢结构时，应符合下列要求：

一、必须逐段测量并控制每一段钢结构的各种偏差。

在安装上一段钢结构时，应消除或减小下一段钢结构的各种积累偏差，特别应防止连续出现同向偏差。

二、各段钢结构之间的联接面应接触紧密，相联接的两个平面应有 70% 的面积紧贴。

三、桅杆式钢结构的拉索，应从低排向高排顺序安装和拉紧。每一排拉索，应按对角线方向，成对地调节拉力，边观测边调节，直至达到设计拉力。

第 7.2.9 条 分件吊装钢结构时，应符合下列要求：

一、必须从钢结构基础顶面设计中心点，引出索道纵、横向中心线控制桩，并用测量仪器严格控制钢结构的垂直偏差。

二、应尽量多用精制螺栓进行联接。主肢对接时每端精制螺栓不得少于三个，且应形成三角形排列。其他杆件每端精制螺栓不得少于两个。

三、应严格校正每一层水平格的对角线尺寸，其偏差不得大于对角线长度的 1／1000。

在安装上一层水平格时，应消除或减小下一层水平格的扭转变形，特别应防止对角线连续出现同向偏差。

第 7.2.10 条 钢结构安装的允许偏差，应符合表 7.2.10 的规定。

钢结构安装的允许偏差　　　　　表 7.2.10

项次	项　　　　目	允许偏差
1	钢支架或钢站房顶面中心点对基础顶面设计中心点垂直线的偏移（按钢结构高度 h 计算）	0.001h 但不得大于 50mm
2	钢支架横担纵向中心线或钢站房站口桁架纵向中心线对索道中心线的偏移（按较小跨距 l 计算）	双线货运索道为 0.0002l 但不得大于 20mm，其他索道为 0.0001l 但不得大于 10mm
3	钢支架或钢站房顶面的标高（在鞍座底面或轨道顶面测量）	跨距和 200m 以内时允差 50mm，跨距和每增加 100m 允差增加 10mm
4	钢站房与同其直接联接的钢筋混凝土站房的标高之差（在鞍座底面或轨道顶面测量）	15mm

项次	项　　　目	允许偏差
5	钢支架横担或钢站房站口桁架在索道横向中心线方向的水平度	1：1000
6	钢支架横担或钢站房站口桁架横向中心线在水平面上的扭转偏斜	3：1000
7	构件的弯曲矢高(按构件长度 l 计算)	0.0011 但不得大于 10mm
8	构件的水平度	2：1000
9	构件的垂直度(按构件高度 h 计算)	0.001h

第 7.2.11 条　已安装的钢结构，在测量或校正时，应避开风力、日照和温差所造成的变形。

第 7.2.12 条　倾斜设计的钢支架，其安装要求和对设计位置的允许偏差，可参照垂直设计的钢支架。

第 7.2.13 条　对于可调式或采用可调式线路设备的钢支架或钢站房，其安装偏差可大于表 7.2.10 的规定，但其线路设备的安装应符合本章第三节的有关要求。

第 7.2.14 条　钢结构安装后，应采用 200 号细石混凝土进行二次灌浆。二次灌浆层应密实平整。其厚度不宜小于 80mm。

第 7.2.15 条　钢结构固定后，在运输、保管与安装过程中受到破坏的底漆以及安装联接处，应在彻底除锈后进行补涂，并按设计规定的颜色及要求涂刷面漆。

第三节　线路设备安装

第 7.3.1 条　摇摆鞍座的安装，应符合下列要求：

一、绳槽的毛刺或凸瘤应清除，并应均匀涂上润滑脂；

二、绳槽中心线应与承载索中心线吻合，偏移或偏斜的最大横向值，不得大于索距的 1／2000 和承载索直径的 1／15；

三、中心轴水平度的偏差，不得大于 2：1000；

四、水平牵引式索道的摇摆鞍座，其托索轮绳槽中心线应与牵引索中心线吻合，偏移不得大于 1.5mm，偏斜不得大于 1:1000。

第 7.3.2 条 偏斜鞍座的安装，应符合下列要求：

一、绳槽的清理和允许偏差，应符合本规范第 7.3.1 条第一、二款的规定；

二、偏斜鞍座底面对设计平面的倾斜度，其偏差不得大于 2:1000；

三、扁轨中心线应与承载索中心线吻合，偏移不得大于 1.5mm；

四、应检查弹性轨道有无变形，并应校正其对称度；

五、销轴处应涂润滑脂。

第 7.3.3 条 固定鞍座的安装，应符合下列要求：

一、衬垫应镶嵌密实，绳槽应平整光滑，各润滑点油路应畅通，绳槽应均匀涂上润滑油；

二、绳槽的允许偏差，应符合本规范第 7.3.1 条第二款的规定；

三、托索轮组绳槽中心线应与牵经索中心线吻合，偏移或偏斜的最大横向值，不得大于牵引索直径的 1/10；

四、托索轮组中的每个托索轮，当牵引索运动时，均应随同转动；

五、采用双承载索的双线往复式客运索道，每个轨路中的双固定鞍座，其绳槽的允许偏差，除应符合本规范第 7.3.1 条第二款的规定外，两个绳槽的间距和平行度的偏差，均不得大于 2mm。同一横截面绳槽中心标高的偏差，不得大于 ±2mm。

第 7.3.4 条 双线货运索道的导索装置，应能正确引导牵引索落入托索轮轮缘内，其安装宽度应小于托索轮轮缘宽度。其安装位置，双线循式货运索道应装在托索轮入侧牵引索的一端；双线往复式货运索道应在托索轮两端同时安装。

第 7.3.5 条 单线客、货运索道的托索轮组（包括压索轮组、固定式托索轮组和固定式压索轮组），其安装应符合下列要求：

一、每个托索轮的绳槽中心，其径向圆跳动，有衬托索轮不得大于其直径的 5／1000；无衬托索轮不得大于其直径的 2／1000。其端面圆跳动，有衬或无衬托索轮均不得大于其直径的 3／1000；

二、各托索轮的绳槽中心应在一直线上。直线度的偏差，不得大于托索轮组总长的 1／1500 和牵引直径的 1／15，

三、托索轮组的绳槽中心线应与牵引索中心线吻合，偏移或偏斜的最大横向值，不得大于索距的 1／2000 和牵引索直径的 1／15；

四、各托索轮绳槽的中心面，在承受牵引索的空索载荷后，其垂直度的偏差，货运索道不得大于 2：1000，客运索道不得大于 1：1000。

第 7.3.6 条 单线客运索道的线路监控装置，其安装应符合下列要求：

一、采用带有滚轮的线路监控装置时，滚轮对牵引索的靠贴力必须逐个进行测定，并调整至符合设备技术文件的规定；

二、针形开关应进行 10% 的抽样试验，折断力矩的偏差不得大于 ±20%；

三、控制回路应配线整齐、绝缘良好、锡焊牢固。在可动部位两端，应用卡子固定牢固，并留出适当裕度，不使导线受到机械应力；

四、控制回路的绝缘导线应套上塑料管，塑料管应防止积水；

五、线路监控装置必须进行模拟试验，牵引索偏离规定值时，必须导至索道紧急停车。

第四节 钢丝绳安装

第 7.4.1 条 承载索的展开，应符合下列要求：

一、绳盘损坏、钢丝锈蚀、铭牌或证书不符合设计要求的承

载索，不得展开；

二、绳盘没有托架或托盘、制动装置和专人操作时，不得展开；

三、没有跨越交通要道或建筑物的协议书和临时或永久性保护设施时，不得展开；

四、在展开过程中，如果出现制造、运输或保管方面的较大缺陷，不得继续展开；

五、在展开过程中，必须保持施工组织设计所规定的拉力，保证承载索腾空展开；

六、循环式索道的承载索，应选择正确的展开方向；

七、承载索的端部，在展开过程中必须防止松散；

八、在展开过程中，必须防止承载索受到磨损、擦伤、弯折、打结、裂咀、松散等意外损伤；

九、在展开过程中，承载索不得在土壤、岩石、树桩、钢结构或钢筋混凝土构筑物上拖牵；

十、在展开过程中，承载索严禁在水中浸泡；

十一、每隔一定距离，应设置专人监视；承载索端部应有随行人员进行监视；所有监视人员应配备与指挥人员联系的通讯工具。

第7.4.2条 承载索的连接，应符合下列要求：

一、线路套筒与支架鞍座横向中心线之间的距离，不得小于该支架鞍座总长的15倍。

二、紧靠线路套筒、过渡套筒和末端套筒的承载索或拉紧索，应涂一圈检查连接质量的白漆标志。

三、各种套筒受力三天后，承载索或拉紧索从各种套筒内的拉出长度，采用楔接时不得大于承载索直径的1/3；采用铸接时不得大于承载索直径的1/6。

四、各种套筒采用铸接时，浇铸后的锥体，必须从套筒中抽出进行检查。

五、当重锤在导轨中运动到上、下极限位置时，过渡套筒与偏斜鞍座或拉紧索导向轮之间的净空尺寸，不得小于 0.5m。

六、各种套筒的连接工作，应由考核合格的人员担任。

对于客运索道，初次操作时，应切一段相同的钢丝绳，按相同的工艺连接一个套筒，进行拉力试验，其破断拉力不得小于钢丝绳破断拉力的 90%。

七、每个套筒应单独编号。

八、各种套筒的试验记录以及每个套筒的套筒编号、分布位置、操作记录、检查结果、操作人员姓名和检查人员姓名应登记在册。

第 7.4.3 条 承载索的起吊，应符合下列要求：

一、起吊前应详细检查承载索表面的涂油情况，受到破坏的涂油层应进行补涂；

二、起吊前应逐个清理并润滑各种鞍座；

三、在起吊过程中应防止承载索过度弯曲，承载索不得在起吊中因弯曲半径太小其表层丝之间产生裂咀现象；

四、在任何情况下均不得单点起吊承载索。宜采用一种两端焊有鞍座的起吊横梁，两个鞍座之间的净空，应大于摇摆鞍座的长度。

第 7.4.4 条 承载索的拉紧，应符合下列要求：

一、采用夹块式、夹楔式或圆筒式锚具时，宜采用向锚固端拉的拉紧方向。

二、承载索的拉紧，应符合设计文件中关于安装顺序和安装拉力方面的规定。

如没有明确规定，宜先将空车侧承载索拉紧到设计值的 50%，再将重车侧承载索拉紧到设计值的 50%，无异常情况后，才分别将重锤加大到设计值。

三、承载索拉紧到设计值时，重锤应处于设计给定的位置。

四、重锤定位后，承载索应按下列要求进行锚固：

1. 采用夹块式锚具时：

(1) 夹块槽部和与其接触的承载索，必须彻底去除油污，并

用粉笔均匀擦过;

（2）相邻的夹块应互相紧贴，并宜围绕承载索中心线彼此错开 90°;

（3）夹块上的每个螺母，应按对角线循环交叉顺序，并按相同的力矩，——进行拧紧;

（4）螺母拧紧后，应按对角线循环交叉的顺序，将所有螺母——打紧;

（5）采用双螺母防松时，应在基本螺母拧紧并打紧之后，按相同的顺序和要求，——拧紧并打紧防松螺母;

（6）客运索道的双重锚固，工作夹块组的端面应紧贴支承面;备用夹块组端面与支承面之间，应露出长约 (0.2~0.3) dc 的观察缝。

2. 采用夹楔式锚具时，楔块槽部和与其接触的承载索，必须彻底去除油污，并用粉笔均匀擦过，再按设计要求将承载索楔紧。

3. 采用圆筒式锚具时:

（1）承载索应紧密整齐地缠绕在圆筒上，最少圈数必须符合设计规定;

（2）至少用三个夹块，将承载索固定在锚固桩上，夹块之间应紧贴，螺栓的拧紧与防松必须可靠。

五、承载索锚固后，在每一个拉紧区段内，应选择一个靠近重锤的跨距，进行挠度测量，承载索挠度的偏差，不得大于设计值的 5%。

六、挠度测量合格后，根据重锤撞杆的具体位置，安装上、下限位开关。限位开关的位置应可调。

第 7.4.5 条 牵引索（包括平衡索、辅助索和承载牵引索）的展开，应符合下列要求:

一、必须防止牵引索受到弯折、打结、鼓肚、露蕊、磨损、擦伤、在水中浸泡等意外损伤;

二、牵引索应支承在支架的托索轮上展开;

三、牵引索展开的其他要求，应符合本规范第 7.4.1 条的有关规定。

第 7.4.6 条 牵引索的编接与就位，应符合下列要求：

一、被编接的两盘钢丝绳，其结构、规格、捻向、标准号和制造厂家，必须完全相同。

二、在编接过程中拉紧牵引索时，必须使用不损伤牵引索的专用夹具，严禁使用普通的 U 形绳夹。

三、编接接头的长度，货运索道不得小于 1000d。

对于客运索道，当钢丝绳的总丝数小于或等于 114 时不得小于 1200d；当钢丝绳的总丝数大于 114 时宜为(1300～1500)d。

四、两个编接接头之间的没有编接的牵引索长度，不得小于 3600d。

五、编接接头的外观，应浑圆饱满、压头平滑、捻距均匀、松紧一致。编接接头的直径增大率，d≤28mm 时不得大于 10%，d＝29～38mm 时不得大于 9%，d＝39～48mm 时不得大于 8%。

六、编接接头的内部，钢蕊与纤维蕊应互相衔接。

七、当拉紧小车的轨道较长时，牵引索就位后，拉紧小车应位于设计给定的位置。

如没有给定位置，拉紧小车应位于距轨道前端约 1／3～2／5 行程处。

八、牵引索的编接工作，应由考核合格的人员担任。

每个编接接头的操作纪录、检查结果、操作人员姓名和检查人员姓名，应登记在册。

第 7.4.7 条 单线客、货运索道的牵引索，安装后应进行挠度测量。

牵引索挠度的偏差，不得大于设计值的 5%。

第 7.4.8 条 采用双牵引索的双线往复式客运索道，应准确测量每根牵引索和平衡索的长度，并在两端分别涂上红漆标志，作为剁绳和挂绳的基准线。

两根牵引索和两根平衡索的连接长度，应使两根牵引索的拉力接近相等。

第五节　站内设备安装

第 7.5.1 条　吊梁（包括站内支架的支承梁）的安装，应符合下列要求：

一、必须以索道中心线和测量桩点为基准，逐个测量各预埋件的平面位置和标高。

偏差超过允许值时，必须采取彻底的纠偏措施。

二、站口段吊梁的平面位置，对设计位置的偏差，不得大于5mm。

非站口段吊梁的平面位置，对设计位置的偏差，不得大于10mm。

三、吊梁标高的偏差，不得大于±5mm。

四、吊梁上的钻孔，位置不符时不得气割，应将原孔焊平另钻新孔。

第 7.5.2 条　吊钩（包括吊架）的安装，应符合下列要求：

一、吊钩与扁轨的接合面，应平行于扁轨中心线，其间距偏差不得大于 5mm；

二、吊钩与扁轨的结合面，其中心标高的偏差，不得大于±5mm；

三、吊钩与扁轨的结合面，其垂直度的偏差，不得大于 10：1000。

第 7.5.3 条　轨道（包括扁轨、矩形轨和槽形轨）的安装，应符合下列要求：

一、运行区段的轨道，其允许偏差应符合表 7.5.3 的规定。

检修区段的轨道，其允许偏差可加大一倍。

运行轨道的允许偏差　　　　表 7.5.3

项次	项　　　目	允许偏差
1	站内轨道的标高（在轨道顶部测量）	±5mm
2	站内轨道中心线与相关设备中心线的距离	±5mm
3	直线轨道的直线度（在轨道顶部和两侧测量）	1：1000
4	曲线轨道的曲率半径（R） 与设备配套使用时 其他曲线段	 ±5mm 0.005R
5	水平轨道的水平度（在轨道顶部测量）	1：1000
6	轨道坡度的倾斜度（在轨道顶部测量）	1.5：1000
7	轨道腹板的垂直度	5：1000

二、站内轨道的接头，其间隙不得大于 2mm，轨顶高差不得大于 0.5mm。

三、轨道接头上螺栓的头部，应安装在靠近客、货车吊架的一侧。

四、轨道接头至最近吊钩的距离，直线段不得大于 0.7m；曲线段不得大于 0.5m。

五、轨道头部应涂油。

第 7.5.4 条　道岔的安装，应符合下列要求：

一、搭接道岔的标高，应与基本轨道的标高相适应。

二、搭接道岔的岔尖，应与基本轨道紧贴。

客、货车通过道岔时，岔尖应无翘起、无摇动。

三、平移道岔的轨道中心线，对基本轨道中心线的偏移不得大于 0.5mm，接头间隙不得大于 2mm，轨顶高差不得大于 0.5mm。

第 7.5.5 条　导向板（包括护轨和挡轨）的安装，应符合下列要求：

一、导向板的坡度或曲率半径，应与轨道相适应。

在安装导向板时，宜用一辆与实际装载情况相符的货车或客车，边推行边定位。

二、导向板与轨道之间的水平距离，其偏差不得大于±2.5mm。

三、导向板与轨道之间的垂直距离，当客、货车上装有导向滚轮时其偏差不得大于±5mm；没有导向滚轮时其偏差不得大于±10mm。

四、导向板的接头，应平滑。

五、导向板的喇叭口，应平缓。

六、导向板的工作面，应涂油。

第 7.5.6 条 挂结器（包括脱开器）的安装，应符合下列要求：

一、挂结器安装的允许偏差，应符合表 7.5.6 的规定。

挂结器安装的允许偏差　　　　　　表 7.5.6

项次	项　　　目	允许偏差
1	轨道工作面的标高	±2mm
2	轨道中心线与牵引索中心线之间的水平距离	
	货运索道	±1.5mm
	客运索道	±1.0mm
3	轨道工作面与抱索机构导轨工作的高差	
	货运索道	±1.5mm
	客运索道	+1.0mm
4	轨道中心线与有关机构或设备中心线之间的水平距离	
	货运索道	±1.5mm
	客运索道	±1.0mm
5	轨道坡度的倾斜度	
	货运索道	1.5：1000
	客运索道	1：1000

二、对于循环式客运索道，挂结器轨道与站内轨道的连接应

采用焊接。

与挂结器轨道相连接的站内轨道，在 5m 长度内不得设置用螺栓联接的轨道接头。

三、循环式客运索道必须按照设计图纸的要求，以牵引索为基准，严格检查各特征点横剖面上的相关尺寸和各特征点的纵向定位尺寸，精确校正各种设备和各种监控装置工作面与牵引索的相对位置。

四、挂结器安装和校正后，必须慢速驱动牵引索和挂结器中的有关设备，使一辆货车或客车缓慢通过挂结器，反复检查抱索器在各特征点的动作状态和货车或客车的出站情况，严禁出现抱索失误、抱索不良、货车或客车出站产生异常摆动等现象。

第 7.5.7 条 驱动装置的安装，应符合下列要求：

一、除放置垫板处外，其余的基础顶面应铲麻处理，每 100cm^2 面积内应有 3～4 个小坑，小坑的深度不得小于 20mm，铲麻后用水冲洗干净。

二、驱动轮和从动轮安装：

1. 驱动轮纵、横向中心线对设计中心线的偏差，货运索道不得大于 2mm；客运索道不得大于 1mm；

2. 卧式驱动装置的驱动轮，其中心标高的偏差，货运索道不得大于 ±2mm；客运索道不得大于 ±1mm；

3. 卧式或立式驱动装置的驱动轮，其水平度或垂直度的偏差，在任意方向检测，货运索道不得大于 0.3：1000；客运索道不得大于 0.15：1000；

4. 单槽或双槽驱动轮的绳槽中心线，应与出侧和入侧牵引索的中心线吻合，偏移不得大于牵引索直径的 1／20，偏斜不得大于 1：1000；

5. 从动轮的绳槽中心，应对准双槽驱动轮相应的绳槽中心，用拉线法检测时，其偏差不得大于牵引索直径的 1／10；

6. 立式驱动装置从动轮垂直度的偏差，不得大于 0.3：1000。卧式驱动装置从动轮的轴心线，对驱动轮横向中心线方向的垂直剖面的平行度，其偏差不得大于 0.5mm。

三、在承受牵引索的空索拉力后,·开式齿轮的啮合间隙和接触斑点，应符合齿轮标准、设备技术文件或现行的《机械设备安装工程施工及验收规范》的有关规定。

第 7.5.8 条 拉紧装置的安装，应符合下列要求：

一、拉紧小车轨道中心线与设计中心线的偏差，不得大于 2mm；

二、轨道工作面标高的偏差，不得大于 ± 2mm；

三、轨距的偏差，不得大于+5mm；

四、轨道的接头，应平整光滑；

五、拉紧轮绳槽的中心线，应与出侧和入侧牵引索的中心线吻合，偏移不得大于牵引索直径的 1 / 20，偏斜不得大于 1：1000；

六、拉紧索导向轮绳槽的中心线，应与出侧和入侧拉紧索的中心线吻合，偏移不得大于拉紧索直径的 1 / 20，偏斜不得大于 1：1000；

七、拉紧装置安装后，拉紧小车的四个滚轮，应全部紧贴在轨面上。

第 7.5.9 条 导向轮的安装，应符合下列要求：

一、导向轮中心标高的偏差，不得大于 ± 3mm。

当导向轮中心的标高直接关系到挂结或脱开的质量时，其偏差不得大于 ± 1mm。

二、导向轮绳槽中心线应与牵引索中心线吻合，偏移不得大于牵引索直径的 1 / 15，偏斜不得大于 1：1000。

三、垂直导向轮的垂直度、水平导向轮的水平度或倾斜导向轮的倾斜度，其偏差均不得大于 0.5：1000。

第 7.5.10 条 双线循环式货运索道迂回轮的安装应符合下列要求：

一、直径 5m 或 6m 的迂回轮，在现场组装后，直径的偏差不得大于 ± 6mm，径向圆跳动不得大于 8mm，端面圆跳动不得

大于 10mm;

二、迂回轮工作面与扁轨中心线之间的径向尺寸,其偏差不得大于±10mm;

三、迂回轮校正合格后,应将底座焊牢在站内支座上。

第 7.5.11 条 双线循环式货运索道滚轮组的安装,应符合下列要求:

一、每个滚轮的径向圆跳动和端面圆跳动,不得大于2mm;

二、滚轮轮缘与货车运行小车之间的间隙,不得小于10mm;

三、滚轮组不得碰撞货车的任何突出部位;

四、滚轮组的曲率半径,应采用弦长不小于 1500mm 弧形样板检查,其间隙不得大于 2mm;

五、滚轮组的曲率半径应与扁轨的曲率半径相适应,径向尺寸的偏差不得大于±5mm;

六、垂直滚轮组各滚轮绳槽中心直线度的偏差,不得大于牵引索直径的 1/10;

七、垂直滚轮组绳槽中心线应与牵引索中心线吻合,偏移或偏斜的最大横向值,不得大于牵引索直径的 1/10;

八、水平滚轮组各滚轮绳槽中心平面对设计水平面的偏差,不得大于牵引索直径的 1/10;

九、滚轮组处轨道顶部的标高,其偏差不得大于±5mm。

第 7.5.12 条 滚子链的安装,应符合下列要求:

一、导轨或滚子架的工作面,在安装过程中不得受到损伤。

二、导轨或滚子架工作面的曲率半径,应采用弦长不小于1500mm 的弧形样板检查,其间隙不得大于 1mm。

三、导轨任意横截面的槽底轮廓线或固定滚子的工作母线,其水平度的偏差不得大于 3:1000。

四、导轨或滚子架的接缝处,间隙不得大于 1mm,高差不得大于 0.5mm。

五、小链板滚轮中心线应与导轨及大链板导槽中心线吻合。滚轮运动时，滚轮不得啃咬上、下导槽边缘。

六、大链板绳槽或固定滚子中心线应与承载索中心线吻合，偏移或偏斜的最大横向值，不得大于承载索直径的 1／20。

七、大链板绳槽中心或固定滚子工作面的标高，其偏差不得大于±3mm。

八、大链板绳槽与承载索表面，或固定滚子工作面与承载索保护面，应普遍接触。

个别未接触处的间隙，不得大于 1mm。

九、扁钢或滚子架与预埋件的正式焊接，应在滚子链安装合格后进行。

十、采用双承载索的双线往复式客运索道，每个轨路中的双滚子链，除应符合本条第一～九款的规定外，两个绳槽的间距和平行度的偏差，均不得大于 2mm。同一横截面绳槽中心标高的偏差，不得大于±2mm。

第 7.5.13 条 重锤的安装，应符合下列要求：

一、导轨中心线对设计中心线的偏差，不得大于 2mm；

二、导轨垂直度的偏差，在全行程内不得大于 3mm；

三、导轨轨距的偏差，不得大于+5mm；

四、导轨的接头，应平整光滑；

五、重锤块应交错排列、互相靠紧、避免松动、防止掉落；

六、整体混凝土重锤应按设计施工，并应取样测定密度和强度；

七、重锤或重锤箱上的导向块与导轨之间的间隙，应上下左右均接近相等，否则应调整重锤块的位置；

八、重锤或重锤箱在导轨中应能自由升降；

九、牵引索重锤质量的偏差，货运索道不得大于 8／1000，客运索道不得大于 4／1000；

十、承载索重锤质量的偏差，货运索道不得大于 12／1000，客运索道不得大于 6／1000。

第 7.5.14 条 货车的安装，应符合下列要求：

一、双线索道的货车，应采用专用检查工具，逐辆检查运行小车中的车轮、提升轮、转角轮、钳口等与轨道之间的相对尺寸，并检查提升轮的行程和钳口的最小与最大开口尺寸。

不合格的货车，不得交付使用。

二、单线索道的货车，应采用专用检查工具，逐辆检查抱索器中的车轮、定位轮、支承轮、钳口等与轨道之间的相对尺寸，并检查钳口的最小与最大开口尺寸。

不合格的货车，不得交付使用。

三、吊架在纵、横方向的弯曲、扭转或变形，不得大于 5mm。吊耳间距的偏差，不得大于 3mm。吊耳孔同轴度的偏差，不得大于 2mm。

四、货箱的端板，侧板和底板应无显著变形，货箱口对角线长度之差不得大于 5mm，两端销轴同轴度的偏差不得大于 2mm。

五、当货车悬挂在轨道上时，货箱应能自由翻转。

货箱上挡块的位置不符时应校正。

闩板应能用手轻快操作，并能可靠闩闭。

六、对于底卸式货车，应检查启闭机构的灵活性和可靠性。

七、应检查货车与站内轨道、道岔、吊钩、护轨、挡轨、导向板、装载、卸载、复位等设施的适应性。

八、货车应顺序编号。

第 7.5.15 条 客车的安装，应符合下列要求：

一、双线往复式吊厢索道的客车：

1. 运行小车应先在地上进行检查，各车轮绳槽中心直线度的偏差，不得大于运行小车总长的 1／1500 和承载索直径的 1／20。

各车轮与小横梁或各大、小横梁之间，应无松动、无窜动、无碰刮、无卡阻。

2. 牵经索末端套筒的连接，应符合本规范第 7.4.2 条第四、

六、八款的规定。

3. 当牵引索与客车之间采用摩擦圆筒连接时，牵引索必须按照设计规定的缠绕方向和圈数进行施工。

牵引索末端的压紧螺栓，其拧紧与防松必须可靠。

4. 客车制动器、缓降器、减摆装置、减振装置、承载索润滑装置等重要部件的安装，应符合设备技术文件的规定。

5. 客车制动器安装后，必须进行制动性能试验。

6. 采用双承载的客车，其运行小车的安装，除应符合本款第 1 项的规定外，两个运行小车的间距和平行度的偏差，均不得大于 3mm。

二、单、双线循环式吊舱索道的客车：

1. 应采用专用检查工具，逐辆检查抱索器中的车轮、定位轮、支承轮、摩擦板、抱索执行机构、钳口等与轨道之间的相对尺寸，并检查钳口的最小与最大开口尺寸。

不合格的客车不得交付使用。

2. 车门和车门机构应动作灵活，并应与站内的开关门机构动作协调。

3. 减振器、导向器等重要部件安装，应符合设备技术文件的规定。

三、单线循环式吊椅索道的客车，其安全扶手、踏板或围栏，应动作灵活。

四、各种客车的导向器，应与线路和站口的导向装置动作协调。

五、应检查各种客车与站内有关设施的适应性。

六、客车应顺序编号。

第八章　索道工程验收

第一节　试　运　行

第 8.1.1 条　索道试运行，应在设备安装工程竣工前。土建等工程均施工完毕、经全面检查已具备试运行条件时进行。

第 8.1.2 条　索道无负荷试运行，应由安装单位组织进行，有关单位参加；索道负荷试运行，应由建设单位组织进行，有关单位参加。

第 8.1.3 条　无负荷的试运行，应符合下列要求：

一、单机调试；

1. 应从部件到组件，从组件到单机逐级调试。

上一步骤未合格前，不得进行下一步骤的调试。

2. 驱动装置等主要设备的连续运转时间不得少于 4 小时，其中额定速度的运转时间不应少于全部运转时间的 60%。

3. 驱动装置等主要设备液压与润滑系统的油压、油位和油温等应正常。

二、机组联动试运行：

在单机调试的基础上，应进行机组联动试运行。各设备应配合良好、动作协调，累计试运行时间不得少于 4 小时。

三、牵引索试运行：

1. 牵引索安装合格后，应由慢速至额定速度进行试运行，累计试运行时间不得少于 4 小时；

2. 牵引索在托、压索轮组上应稳定；

3. 线路监控装置应灵敏；

4. 有关设备运转应正常。

第 8.1.4 条　负荷的试运行，应符合下列要求：

一、空车试运行：

1. 从端站或中间站各发一辆空车，由慢速至额定速度进行通过性检查，不得有任何阻碍。

2. 循环式索道应以额定运行速度，先从端站或中间站分别将空车按 8 倍设计车距布满全线进行试运行，再按 4 倍、2 倍直至设计车距布满全线进行试运行。

上一步骤未合格前，不得进行下一步骤的试运行。

全过程累计试运行的时间，不得少于 4 小时。

二、重车试运行：

1. 货车索道试重车运行；

(1) 在全线按设计车距布满空车的基础上，以额定运行速度，由装载站发出一辆重车的进行净空尺寸检查，应符合有关规定。

(2) 在全线按设计车距布满空车的基础上，以额定运行速度，先按 8 倍设计车距将重车布满重车侧线路，再按 4 倍、2 倍直至设计车距将重车布满重车侧线路，进行重车试运行。

全过程累计试运行的时间，不得少于 4 小时。

(3) 在最不利缺车试运行时，应检查驱动装置在启动和制动时的抗滑性能和电动机的过载、发热等情况。

2. 客运索道重车试运行：

(1) 必须采用模拟乘客有效载荷的重物进行客运索道重车试运行。

(2) 双线往复式客运索道重车试运行时，应按设计载荷的 $\frac{1}{2}$、$\frac{2}{3}$、满载和超载 20% 分别进行试运行。全过程累计试运行的时间，不得少于 4 小时。

客车制动器与控制系统应进行多次检测，并应检查超速、减速、过卷、速度同步等保护监控装置的联锁性能。

(3) 单线循环式客运索道可参照本款第 1 项要求进行重车试运行，但应进行安全制动检测并检查各种监控装置的联锁性能。

（4）应检查营救设施的性能。

第二节　工　程　验　收

第 8.2.1 条　设备安装工程竣工后，应进行索道工程验收。

第 8.2.2 条　索道工程验收工作应由建设单位组织进行，有关单位参加。

第 8.2.3 条　索道工程验收时，应具备下列资料：

一、竣工图；

二、设计变更通知单；

三、主要材料出厂合格证及检验报告；

四、重要焊接部位的焊接试验记录；

五、机电设备和钢丝绳出厂合格证；

六、索道竣工测量成果；

七、隐蔽工程验收文件；

八、混凝土结构和钢结构工程验收文件；

九、设备安装工程验收文件；

十、接地电阻测试记录；

十一、各种套筒的试验记录、操作记录、检查结果和分布位置；

十二、牵引索或承载牵引索的编接记录；

十三、承载索、牵引索或承载牵引索的挠度测量记录；

十四、客车制动器的制动性能试验记录；

十五、索道试运行记录。

附录一 本规范名词解释

名　词	曾用名词	解　　释
高　差	一	两点之间的标高之差
平　距	一	两点之间的水平距离
斜　距	斜　长	两点之间的直线距离
跨　距	跨　度	相邻支架或站房与最近支架之间的平距
车　距	斗　距	循环式索道客、货车的发车间隔距离
索　距	轨　距	两条轨路中心线之间的距离。对于单承载双线索道或单线索道，为两根承载索或承载牵引索中心线之间的距离
仰　角	负　角	从站口向站外看，钢丝绳远处高、近处低为仰角进站，
俯　角	正　角	反之为俯角进站
承载索	轨　索	静止的、承受客货车重力的钢丝绳
牵引索	曳引索	运动的、牵引客货车运行的钢丝绳
承载牵引索	牵引索	既作承载、双作牵引的钢丝绳
拉紧索	张紧索	缓慢运动的、连接拉紧重锤的钢丝绳
平衡索	尾　索	双线往复式客运索道中，运动的、两辆客车之间的、绕过拉紧轮的钢丝绳
辅助索	救护索	单牵引双线客运索道的牵引索断裂后,牵引辅助客车进行营救工作的钢丝绳
钢丝绳的抗拉安全系数	钢丝绳的抗张安全系数	钢丝绳的公称破断拉力与其最大工作拉力的比值
驱动轮	传动轮	驱动牵引索的水平或垂直导向轮
拉紧轮	尾部游轮	拉紧牵引索的水平或垂直导向轮
端　站	端部站	客运索道中上站和下站及货运索道中
	端点站	

名　词	曾用名词	解　　释
上　站	上部站	客运索道中标高较高的站房
下　站	下部站	客运索道中标高较低的站房
驱动站	传动站	设有驱动轮的站房
拉紧站	张紧站	设有拉紧轮的站房
拉紧区段站	线路站	在双线货运索道中,承载索拉紧区段内双拉站、双锚站和拉锚站的总称
传动区段站	线路站	在多传动区段索道中,驱动站和拉紧站的总称
转角站	转点站	在客、货运索道中,索道方向改变较大时设置的自动化或非自动化中间站
迂回站	折返站	在双线货运道中,货车不脱开牵引索进行自动卸载和自动迂回的站房
交汇站	交点站	在货运索道中,几条索道汇成一条索道或一条索道分成几条索道的站房
双线循环式货运索道	—	既有承载索、又有牵引索、货车活动抱索并循环运行的索道
单线循环式货运索道	—	仅有承载牵引索、货车活动抱索并循环运行的索道
双线往复式吊厢索道	双线往复车厢式索道	既有承载索、又有牵引索、吊厢固定抱索并往复运行的索道
单线循环式吊舱索道	单线循环吊舱式索道	仅有承载牵引索、吊舱活动或固定抱索并循环运行的索道
单线循环式吊篮索道	单线循环吊篮式索道	仅有承载牵引索、吊篮活动或固定抱索并循环运行的索道
单线循环式吊椅索道	单线循环吊椅式索道	仅有承载牵引索、吊椅活动或固定抱索并循环运行的索道
单线循环式拖牵索道	单线循环拖牵式索道	仅有承载索、拖牵座固定抱索并循环运行、滑雪运动专用的索道

附录二 本规范用词说明

一、为便于在执行本标准条文时区别对待，对要求严格程度不同的用词说明如下：

1.表示很严格，非这样作不可的用词：

正面词采用"必须"；

反面词采用"严禁"。

2.表示严格，在正常情况下均应这样作的用词：

正面词采用"应"；

反面词采用"不应"或"不得"。

3.表示允许稍有选择，在条件许可时，首先应这样作的用词：

正面词采用"宜"或"可"；

反面词采用"不宜"。

二、条文中指明必须按其他有关标准和规范执行的写法为，"应按……执行"或"应符合……要求或规定"。非必须按所指定的标准和规范执持的写法为，"可参照……"。

附加说明

本规范主编单位、参加单位和主要起草人名单

主 编 单 位：昆明有色冶金设计研究院

参 加 单 位：北京有色冶金设计研究总院

南昌有色冶金设计研究院

鞍山黑色冶金矿山设计研究院

四川矿山机械厂

主要起草人：王庆武　　杨福新　　王世华

朱俊国　　杜懋棣　　连　立

严克忠